A E
& I

Olvidé decirte quiero

Autores Españoles e Iberoamericanos

Mónica Carrillo

Olvidé decirte quiero

© Mónica Carrillo, 2016
© Editorial Planeta, S. A., 2016
    Av. Diagonal, 662-664, 08034 Barcelona
    www.editorial.planeta.es
    www.planetadelibros.com

Diseño de la colección: © Compañía

Primera edición: abril de 2016
Segunda impresión: abril de 2016
Depósito legal: B. 5.334-2016
ISBN: 978-84-08-15297-2
Preimpresión: J. A. Diseño Editorial, S. L.
Impresión: Egedsa
Printed in Spain - Impreso en España

El papel utilizado para la impresión de este libro es cien por cien libre de cloro
    y está calificado como **papel ecológico**

A mi hermano, Jesús, mi norte,
mi abrigo, mi refugio.
El lugar donde siempre vuelvo,
de donde nunca me he ido.

Pues en no ser amado sólo hay mala suerte,
pero en no amar hay desgracia.

ALBERT CAMUS

1

Me llamo Malena y es posible que muera hoy. Se me ha pasado tantas veces este macabro pensamiento por la mente que ahora no sé muy bien qué hacer, qué decir, ni siquiera sé qué sentir. ¿Y si finalmente muriera hoy? No digo hoy, sino ahora. En este preciso instante. ¿Cómo sería mi vida en mi ausencia?

Y la nada más absoluta me responde con un silencio perturbador.

Apenas soy capaz de moverme. Una fuerza despiadada me oprime con fiereza las piernas y hace rato que la sangre debe de haber dejado de circular por mis extremidades. Abro los ojos con suma cautela. No podría describir mi estado. Desconozco si estoy consciente, adormecida o a punto de morir.

¿Y si ya he muerto? ¿Es esto el infierno, el purgatorio o lo que sea que haya en la otra vida? ¿Es ésta la otra vida? ¿Ya he dejado la mía? La angustia me bloquea el pecho, me comprime el esternón y apenas me deja respirar. Quiero gritar, pero soy incapaz de emitir ningún sonido. Mis labios están secos, cubiertos de tierra y de polvo. La lengua áspera consigue humedecerse levemente al encontrar un hilo de sangre que emana de la comisura del labio.

¿Es éste el túnel del que hablan? ¿Estaré a punto de ver una luz? ¿Se me aparecerá una señora mayor que me tenderá la mano para ir con ella a la eternidad? ¿Qué será la eternidad?

¡Yo no quiero vivir para siempre! Aunque, pensándolo bien, si ya he muerto no puedo vivir. En ese caso, ¡yo no quiero no vivir eternamente! No vivir durante toda la eternidad tiene que ser extenuante, agotador. Creo que me doy por vencida.

La presión brutal es cada vez más insoportable y, además de las piernas, ya me abarca el torso. El cinturón de seguridad me oprime el pecho y soy incapaz de liberarme de esta cinta inclemente que acaba de salvarme la vida. Cuando al fin logro quitármelo, sufro un fuerte golpe en la cabeza contra el suelo.

Un suspiro ha sido suficiente para este giro abrupto que ha descolocado mi vida por completo. Mi mundo se ha vuelto del revés en un solo segundo, en el instante en que mi coche salió despedido dando vueltas de campana cuando intenté esquivar a aquel pequeño animal —una liebre, quizá— que se cruzó en medio de la carretera.

Multitud de imágenes se agolpan en mi pensamiento en una especie de moviola que reproduce sin piedad los instantes previos y posteriores al fuerte impacto. La angustia se me hace insoportable y noto cómo de mis ojos brotan dos amplias lágrimas que van a morir a la boca y a mi lengua sedienta.

Asumámoslo: estoy en las últimas, he llegado a la meta. Voy a morir. ¡Con todo lo que tenía por hacer! Y me muero justo ahora.

No deja de ser extrañamente cómico que me encuentre al borde de la muerte tras un accidente de coche cuando he estado convencida de que moriría en una catástrofe aérea desde que tuve aquel desagradable percance. Hace años viví un aterrizaje de emergencia que me dejó como legado la fobia a volar, se transformó en un sueño recurrente que me ha acompañado durante décadas y sólo comenzó a remitir cuando acudí a terapia, pero nunca desapareció por completo.

En mi pesadilla me visualizo sentada en el asiento 23F, anticipando el golpe que vendría después. Siempre elijo ventanilla porque me encanta observar las nubes desde arriba: es un espectáculo único; durante ese espacio de tiempo de ingravidez onírica, el suelo se vuelve de algodón y permanece así bajo mis pies. Es la mejor compañía en los viajes: la visión cenital del manto de nubes impolutas. Un espejismo alfombrado que atravesaré de nuevo en el aterrizaje, cuando el avión vuelva a quejarse sacudiéndose con movimientos violentos, en un último intento de no posarse en el rígido suelo, conocedor de que, abajo, al tomar tierra, volverá a esa losa horizontal tenaz e infranqueable. La realidad.

Al girar de nuevo la cabeza hacia el exterior observo que tengo unas vistas maravillosas al ala derecha. La superficie plateada y uniforme del gigante de acero únicamente se ve interrumpida por una coreografía de tornillos milimétricamente alineados que dejan espacio a un mensaje claro y rotundo: «No pisar fuera de la línea». Y justo cuando voy a plantearme cuántas veces lo he hecho, en qué ocasiones he atravesado yo esa línea de lo censurable, de lo políticamente correcto, un señor se sienta a mi lado.

Nunca he tenido suerte con mis compañeros de vuelo. Llevo tantas millas a mi espalda que hace años que tendrían que haberle puesto mi nombre a un avión, pero aun así nunca he encontrado a alguien interesante. Y cuando digo interesante, me refiero a un tipo especial. Y cuando digo especial, me refiero a un hombre con quien me hubiera ido de cena romántica al tomar tierra o al menos hubiera hecho una fugaz escapada al lavabo del avión para aliviar nuestras pasiones de altos vuelos.

En mi sueño, repetido cientos de noches, se sienta a mi lado un tipo corpulento que llega acalorado y posa su chaqueta, el portátil, gran parte de su cuerpo y media vida sobre mí. Yo apenas logro esbozar una mueca: mi espacio vital está siendo invadido. Este hombre acaba de pisar todas las líneas de mi contorno y nadie le ha dicho nada. Y me entran unas ganas terribles de gritar: «¡Oiga, azafata!, este señor ha entrado en mi circunscripción. ¿Nadie va a hacer nada por evitarlo?». Pero finalmente lo miro, le regalo una media sonrisa condescendiente y, con los labios apretados y el hoyuelo cómplice de mi mejilla, decido saludarle cortésmente y dejarlo pasar.

Consideremos que en un avión —me digo para apaciguar los ánimos— la escasez de espacio hace que nuestro entorno más cercano sean aguas internacionales de uso y disfrute común.

Entretanto, la sobrecargo y toda la tripulación nos dan la bienvenida a bordo y nos indican cómo actuar en caso de accidente aéreo. Yo decido desconectar en ese instante.

Es obvio que todo el pasaje entiende el mensaje de la asistente de vuelo. Todos sabemos que, en caso de despresurización de la cabina, al ver ese baile de máscaras de oxígeno danzar sobre nuestras cabezas la única opción posible que se nos ocurriría sería la de colocárnosla en la cara y respirar con normalidad. «Con normalidad», nos dicen cada una de las veces que uno se sube a un avión. ¿Acaso habría otra posibilidad? ¿Qué íbamos a hacer si no? ¿Ponernos nerviosos? ¿Perder la calma?

Malditos sean los que se relajan en los vuelos. Los carentes de fobias. Y esos niños simpáticos que disfrutan con todo lo que ocurre a su alrededor y gozan con los movimientos irregulares de la mole de acero que se empeña en retar la ley de la gravedad.

Mi pesadilla continúa y vuelvo a mirar de reojo a mi compañero. Admitámoslo, el señor del asiento 23 E está gordo. Y me pongo a recordar cuando de adolescente tuve algunos complejos por mi sobrepeso. La verdad es que fui una niña armoniosa pero con redondeces. En ocasiones me he pasado de cóncava y en otras de convexa.

Y también recuerdo lo que me molestó su presencia al sentarse justo a mi lado; ¡con lo grande que es un avión! «Ocupa demasiado —pensé al verlo—. Su brazo invade mi espacio. ¿Por qué pone su brazo en el reposabrazos? En ningún sitio pone "su" reposabrazos. Es compartido. Deberíamos turnarnos u ocupar la mitad. O que hubiera una línea divisoria pintada en el centro.»

Pero no me da tiempo de pensar mucho más: han saltado las alarmas, el avión tiembla y el pasaje chilla.

Es posible que todo termine en este instante, de modo que reconozco lo poco que me importa que este pobre hombre ponga su brazo o deje de ponerlo. Que me da igual la camiseta que lleva ceñida al torso y que me deja intuir su cuerpo como si de una radiografía se tratase. Que ya no me incomoda su presencia. Que le acabo de agarrar la mano sin mirarle siquiera. Y que no me la ha soltado. Y que esa mano que antes se me antojaba sebosa y desagradable ahora ha sido el bálsamo perfecto. Que su sudor ya no huele. Que su mano cálida me está dando consuelo. Que se la aprieto con fuerza y con un código morse improvisado me devuelve un mensaje cifrado que me dice que no estoy sola, a pesar de que no viajo acompañada.

El comandante habla con tono serio. Se dirige primero a la tripulación, comunicándoles que han de prepararse para el aterrizaje. Acto seguido, y ante la mirada atenta del resto del pasaje, que no tenemos muy claro qué hacer, nos lanza esa frase con la que todos nos hemos angustiado en algún momento de turbulencias:

—Señoras y caballeros, vamos a efectuar un aterrizaje de emergencia. Hemos intentado solventar el problema mecánico, pero la avería persiste. Estamos en contacto con la torre de control y nos disponemos a tomar tierra en cuanto nos den permiso. En nombre de la compañía y de la tripulación, les pedimos disculpas por el contratiempo. Haremos todo lo que esté en nuestra mano para realizar nuestro trabajo de la forma más diligente. Suerte a todos.

«¿Cómo que "suerte"? —digo mentalmente de manera atropellada—. ¡Usted es el piloto, quien gobierna este proyectil, y nosotros los que estamos en sus manos! ¡No tengo el cuerpo para rezar ni para encomendarme a la santísima suerte! Haga el favor de dejarnos en tierra sanos y salvos que no tengo el día para morirme hoy.»

En paralelo a esa conversación conmigo misma, oigo a lo lejos gritar a una mujer mientras su marido intenta calmarla. A mi lado, el señor gordo me mira, asiente levemente con la cabeza y consigue darme más calma que mil mantras a voz en grito. Cerca de mí, un alto ejecutivo se suelta la corbata con brusquedad y sacude con fuerza las palmas de las manos contra sus trabajados cuádriceps de gimnasio caro. Junto al hombre con sudores fríos y taquicardias, dos niñas que viajan con su madre. La que está sentada junto al ala se asoma por la ventanilla. Al ver el mar a nuestros pies exclama con una amplia sonrisa:

—¡Vamos a aterrizar en el agua!

Su hermana le contesta con un entusiasmo desmedido mientras vuelca su pequeño cuerpo sobre el de su gemela:

—¡No pasa nada, yo sé nadar!

El baile de máscaras de oxígeno no deja de tintinear y nos recuerda que cada segundo que se va consumiendo se esfuma también nuestra esperanza de salir ilesos.

Éste es mi sueño recurrente. Un sueño basado en hechos reales que me persigue desde la adolescencia. Un sueño en el que nunca muero porque me despierto antes de que el avión se estrelle contra el suelo.

Uno nunca sabe cuál va a ser el vuelo de su vida. Se habla mucho de los trenes, que sólo pasan una vez y que has de coger por si no vuelven a hacer parada en tu andén. Pero nadie habla de los aviones, que te elevan contra natura a 10.000 metros del suelo. Un aparato gigante que te recuerda que puedes conseguir lo que te propongas. «Estoy volando», piensas. Y a la vez te hace sentir la fragilidad absoluta. Porque esa máquina no cuenta contigo. Y lo que es mejor: no le importas.

«No me importas —te espeta en la cara el Boeing 747—, porque, ¿sabes qué? Eres insignificante. Un grano de arena en el desierto, la gota en el mar. La nada más absoluta.» Somos tan insignificantes que sólo la idea de pensarlo se nos hace enorme. Y entonces llegan los miedos. Como siempre. Ese dedo enorme que nos aplasta contra el cristal de una ventana como si fuéramos un mosquito.

Soy miedosa por parte de padre. Para llamarse Valentín siempre ha sido bastante cobarde, la verdad. Quizá fue todo un juego de mis abuelos; una manera de reírse de él y del destino desde el principio. O quizá quisieron darle un empujón: «El niño es flojito. Le ha costado venir al mundo. Al chico le asusta el miedo. Démosle fuerza con el nombre. Que su tarjeta de presentación sea un propósito de intenciones». Yo no heredé de mi padre el nombre, pero sí el gen dominante de temblar por anticipado.

Superé aquel aterrizaje de emergencia que siempre se estrellaba en el sueño, pero me quedaron las secuelas: el miedo enquistado y la sensación de vulnerabilidad constante. Y no aproveché aquella oportunidad que me estaba dando la vida para aprender.

Y ahora que ya no estoy soñando y que estoy a punto de morir, ahora que apenas logro ubicarme y que el dolor es más fuerte que el miedo, ahora me atormentan las imágenes. A mi mente llegan aceleradas multitud de ideas, de cosas que haría y aquellas que quedarían por hacer si muriera hoy.

Los *tequieros* mudos al aire, los abrazos huecos, los besos amargos, las caricias frías, las miradas de lejos que siempre quisieron notar el aliento. Los perdones sin acuse de recibo, los recibos en blanco por no haberme atrevido.

Las conversaciones que dejaría pendientes.

2

Una vez conocí a un señor mayor que era muy joven. No sé muy bien por qué me viene a la cabeza Ismael en este preciso momento, justo cuando mi vida se tambalea y las imágenes se amontonan en mi mente y atenazan la razón. Es probable que piense en él porque físicamente era muy parecido a mi padre, a quien me gustaría abrazar en este instante.

Un hombre apuesto, bien parecido y serio. Siempre he sentido debilidad por los varones reservados y algo introspectivos, como Valentín. Un tipo que se ganaba tu confianza de manera empírica, con el paso del tiempo. Un hombre entrañable que siempre ha parecido más serio de lo que es y menos sensible de lo que en realidad esconde. Mi padre siempre ha sido mi ojito derecho y yo el de él, sobre todo cuando mi madre murió y sólo quedamos nosotros dos en la ecuación. Mi X para su Y.

Hemos formado un tándem perfecto durante todos estos años de ausencia de mamá, el verdadero pilar de mi familia. Valentín aprendió a cocinar para poder seguir invitándome a comer los domingos en su casa. Tras la falta de Esperanza, su única mujer, tuvo que reorganizar su vida y comenzó a realizar tareas que hasta aquel momento eran ajenas a sus rutinas. Empezó a plancharse las camisas y a cocinar platos «de cuchara», como a él le gusta decir. Su vida se volvió más triste sin mamá, pero él supo encontrar un hueco en el abismo de su ausencia.

Había visto a Ismael en alguna ocasión por el barrio, pero nunca antes había tenido la oportunidad de hablar con él. Desconozco el motivo, pero aquel día me interrumpió en mi paseo vespertino con Mía para preguntarme por la raza de la entonces cachorra.

Me dijo que quería tener un perro, pero no sabía por qué raza inclinarse, puesto que era un absoluto inexperto en el tema. Me gustó que asumiera su desconocimiento con total sinceridad. En aquel momento de mi vida lo habitual era toparme con personas que me aleccionaban por todo.

Con Mía como excusa; así comenzó nuestra charla, que derivó en una profunda conversación acerca de la vida y, sobre todo, de la muerte. Es curioso porque fue él quien sacó el tema, y no porque le angustiara —según me explicó—, sino más bien todo lo contrario. Con un discurso lúcido y preclaro sólo quiso transmitirme una realidad inmutable y científica: «Vamos a morir todos».

Ismael no entendía que esa obviedad fuese soslayada o a lo sumo abordada como un tabú en nuestra sociedad. No le entraba en la cabeza que huyéramos de la única cuestión que nos iba a acompañar toda la vida hasta su victoria final: la muerte.

Y ahora que estoy a un paso de ella, que noto cómo me desangro, que la baja temperatura corporal me provoca ligeros espasmos en ciertas partes del cuerpo que no logro ubicar ni identificar con nitidez, ahora he recordado al viejo Ismael y, lo reconozco, tengo miedo a morir.

Siempre he sido muy miedosa. Tuve miedos desde niña. A estar sola, a tener pesadillas, a suspender, a hacerme mayor, a ser rara, a volverme loca, a gustar y a no gustar, a que me quisieran y a que no, a la vida y a la muerte.

Tuve miedo, incluso, a dejar de tener miedos. Pero ahora es distinto. Por primera vez, el miedo es real. Puedo morir. Puedo morirme yo. Es más, es posible que ya lo esté y no lo sepa porque nunca lo he estado antes. ¿Quién me dice que esto no es estar muerto? Nadie ha venido de la otra vida a explicarnos el camino de vuelta, que quizá sea este en el que me encuentro.

En aquella conversación que me marcó para siempre, el sabio Ismael me clavó la mirada, me escudriñó con sus vivos ojos y me dijo:

—Éste es vuestro momento, el de los jóvenes, pero nunca olvides que antes fue el de otros muchos, aunque ya no te importen.

—¿Qué quieres decir con eso? —le pregunté algo desorientada.

—Que disfrutes intensamente de la vida porque tienes un número limitado de cosas que hacer y decir, de tazas de café que tomarte, de copas de vino que paladear, ¡de veces que harás el amor! —explicó—. Nada es eterno, tú tampoco. No eres tan especial. Créeme.

—¿Es ése el motivo por el que la sonrisa se nos va borrando del rostro a medida que pasan los años? —le interpelé.

—Ay, pequeña, envejece peor la mirada que la sonrisa. Observa a cualquier abuelo que veas pasar; da igual su genética o que los años hayan respetado más o menos la tersura de su piel. Únicamente fíjate en su mirada: ahí está su edad.

—Entiendo lo que quieres decir, Ismael, pero debe de resultar complicado mantener una mirada vibrante y luminosa cuando todo lo que viene por delante en la vida es peor.

—¿Peor? ¿Eso quién lo dice? Mira, Malena, la vida es como es. Las reglas de este juego nos vienen dadas desde el primer mes de enero. Ésta es la partida que te ha tocado jugar. Éstas son tus cartas y vas de mano. Y no importa que no te gusten esos naipes o si las reglas son injustas: va a dar igual. Así que te daré un consejo: acepta la vida como viene. Con los momentos de felicidad y de desgarro. Con la enfermedad y el placer. Acepta la vida en su total magnitud: con el sufrimiento y las alegrías.

—Te refieres a aceptar la vida con su muerte, ¿verdad?

—¡También! Es un binomio inseparable. Tenemos la responsabilidad y la obligación moral de vivir disfrutando de cada momento, porque es irrepetible. Cada segundo que pasa es irrecuperable. Espero que seas consciente de ello, Malena. Me despiertan mucha curiosidad los jóvenes que pierden el tiempo porque creen que es una fuente inagotable.

—Pero ¿crees que es un problema exclusivo de los jóvenes. ¿Y si los que dejan pasar el tiempo son viejos?

—Entonces es que son tontos. Una persona que ha tenido toda una vida para aprender y es incapaz de disfrutar al máximo de ese preciado tesoro es que no quiere hacerlo. O no es capaz. ¡Peor para ella! No dejes que los años te pasen por encima, Malena. Sácales tú todo el jugo y bébete la vida.

Con Ismael en la mente y un dolor insoportable, pienso en las personas que me llorarían si mi partida terminara aquí. Aquellas que se entristecerían con mi pérdida. Las lágrimas sinceras. El vacío que queda cuando alguien a quien quieres de verdad se va para siempre.

¿Quién echaría de menos mi voz? ¿Quién tardaría más tiempo en olvidarse de mi tacto? ¿Y de mi olor?

Como escribió el poeta a su amigo recordando a su amada Leonor, no creo que haya nada extraordinario en este sentimiento mío. Algo inmortal hay en nosotros que quisiera morir con lo que muere.

Cuando falleció mi abuela dormí con su peine en la mesita de noche durante meses. Su olor se iba esfumando lentamente con el paso de los días, como su imagen en mi recuerdo, así que coloqué una foto junto a su peine y cada noche besaba la estampa y rociaba con un perfumador las púas melladas, como ella en los últimos tiempos. La colonia era de granel, sencilla y fresca. Inconfundible, como ella.

Cierro los ojos y oigo unas sirenas a lo lejos. La voz de un hombre intenta calmarme, pero no tengo fuerzas para contestarle ni apenas para respirar.

El aliento entrecortado, mi vientre intentando buscar espacio para expandirse, mi lengua buscando sin éxito algo de humedad en este ambiente que se ha vuelto tan adverso. Y esta actitud de supervivencia que nunca antes había reconocido en mí me recuerda a Mía, mi compañera de batalla, mi sombra, mi amiga.

> El futuro no es tuyo
> ni mío
> No es de nadie
> todavía

3

Era diciembre, hacía frío y, en Madrid, las noches dejaban el asfalto tan helado como quedó mi corazón el día que te encontré. Estabas en un contenedor y, desde luego, el desalmado que te dejó allí no pensaba en reciclarte en una mejor vida. Eras pequeña, flaca, poca cosa, un chucho sin importancia. Tenías toda la vida por delante y decidí que la compartiríamos desde aquel mismo momento.

Recuerdo la primera vez que te saqué a la calle. Todavía no podías pisar el suelo de la ciudad, un escenario hostil y desconocido para ti. Tenías sólo unos días de vida y no podía arriesgarme a que te rozara algún microbio sin estar todavía vacunada. Tu lomo blanco con lunares pardos temblaba y mi mano en tu panza diminuta intentaba calmar tu angustia. Al entrar en la clínica veterinaria te acurruqué en mi regazo, hasta que nos hicieron pasar a la que se convertiría en tu mesa de torturas.

A partir de aquel momento odiarías para siempre la bata blanca, la camilla metálica y esa jeringuilla del diablo. La triple vírica, la antiparasitaria, el pienso para recién nacidos. Hicimos caso a todas las recomendaciones de Luis, el veterinario, incluida la de agarrarte las patas y ponerte un bozal tan reducido como práctico para evitar que le regalaras una marca en el brazo con tus afiladísimos colmillos.

La consulta era sobria, únicamente decorada con un reloj de publicidad de la marca de piensos que después compraríamos. Sobre una balda lateral todo el instrumental necesario para una primera toma de contacto y en una vitrina expuesto el material quirúrgico.

Pesabas menos que un filete.

—¿Cómo se llama? —me preguntó Luis mientras te pasaba la mano por las orejas después de haberte dispensado un par de pinchazos.

—Mmmmmm… No lo he pensado. No me decido —le respondí dubitativa.

—Así que todavía no tiene nombre esta preciosidad —comentó Luis aumentando la intensidad de las caricias—. Me encanta este ritual, estar presente en esta decisión tan importante. A ver, pensemos… Es muy guapa, revoltosa, de raza mestiza y…

—¡Es una perrita callejera! —lo interrumpí—. Lo de raza mestiza es un eufemismo más gracioso que decir que un negro es una persona de color. ¡De color negro! Claro.

Soltamos una carcajada al unísono. Me miró todavía con los ojos vidriosos por la risa y me preguntó:

—¿De quién es esta monada?

—Mía —respondí tajante.

—¿Y de alguien más? —Su tono no pretendía ser invasivo y Luis intentó derribar mi coraza con una leve sonrisa que pedía perdón por haber entrado en mi zona de intimidad.

—No, sólo mía —respondí como una orgullosa madre primeriza.

—Pues ahí lo tienes. —Su voz jocosa y alegre me hizo reír de nuevo ante su entusiasmo.

—¿Que tengo el qué? —repliqué.

—El nombre para tu perrita: ¡Mía!

Y así fue como saliste bautizada de la clínica y yo con una cita para la semana siguiente. Quedé con Luis un par de veces, pero resultó que lo único que teníamos en común era nuestra debilidad por ti, Mía.

Fue el comienzo de todo. De tu vida a mi lado con tu nombre y mi apellido formando una familia monoparental preciosa. Y tu chip, tus vacunas y tus bolas diminutas de pienso para cachorros. Ya estábamos todos.

Después vendrían las cacas en el pasillo, los arañazos en las puertas y descascarillar la pared buscando algo de cal que echarte a ese hocico. Tantas horas de sofá compartidas; tú tumbada sobre mis piernas o enroscada a mi lado, pero siempre en contacto. ¿Te acuerdas de los domingos comiendo pipas mientras disfrutábamos de una larguísima sesión de tarde de cine en la tele? El drama de los secuestros de aquellas películas sólo podíamos asumirlo ingiriendo dosis ingentes de frutos secos. Y de helado de chocolate.

¿Y qué me dices de los sábados por la noche, cuando hacíamos fiestas con amigos en casa? Aquello sí que era un festín para ti. A falta de copa, siempre te caía algo que engullir del cielo. Ora una patata frita, ora unos pistachos. ¡Te he visto comer incluso altramuces, Mía! Siempre fuiste un can peculiar. Muy cariñosa, intuitiva, sensible me atrevería a decir. La mejor perrita faldera.

Recuerdo aquel día en que mi jefe me comunicó que me había fastidiado el fin de semana colocándome una guardia en la oficina y yo me agarré un buen cabreo. Además de perder un día de descanso, me suponía tener que anular la cita que nunca terminaba de llegar con Carlos, el nadador.

Yo me había hecho ilusiones a pesar de que a él no se le había visto en ningún momento demasiado entusiasmado con la idea de quedar. Después de varias intentonas con sus correspondientes excusas, finalmente logramos encontrar un hueco para aquel sábado.

Tras la llamada de mi jefe, me tomé un tiempo, conté hasta diez y traté de expulsar toda la rabia de mi interior antes de disculparme ante Carlos porque no podría acudir a nuestra cita para tomar el aperitivo. Paralelamente a mi desahogo ya andaba pensando en otras alternativas que plantearle para esa misma noche o el día siguiente.

No hizo falta. Antes de que le enviase un mensaje, mi móvil vibró para anunciarme que —una vez más— Carlos cancelaba la cita en el último momento.

Lo cierto es que no estaba enamorada de él, ni siquiera me encantaba, era simplemente un capricho, una tontería, pero aquel día no me vino bien el plantón de mi nadador.

Después del calentón —del malo— con mi jefe y de la negativa de Carlos, me rompí y comencé a llorar. Imagino que él fue la excusa perfecta para dejar escapar la rabia y la frustración que me provocaba el hecho de equivocarme tanto a la hora de fijarme en los hombres.

Varias lágrimas caudalosas resbalaron por la parte externa de mi desencajado rostro, recorrieron mis pómulos y terminaron escurriéndose por detrás de las orejas. Estaba tumbada, tenía la cabeza apoyada en el sofá y noté cómo se me humedecía el cabello a la altura de la nuca. De repente, sin apenas darme cuenta, diste un brinco, Mía, y te posaste sobre mi hombro. No sé cómo lo lograste, pero conseguiste guardar el equilibrio mientras me lamías las mejillas. Las lágrimas desaparecieron y sentí un abrazo tan cálido y tierno como el de una madre.

Mía, quiero que sepas que has sido una estupenda compañera de viaje. Has estado conmigo en los momentos más importantes de mi vida. Siempre a mi lado. Leal, incondicional. Y siempre supe que te irías antes que yo. Eso me hizo sufrir por adelantado. Como aquella vez que te caíste y tuvimos que operarte de urgencia, o aquella otra ocasión en la que te extirparon un tumor en las mamas.

Ese afán de protección y sufrimiento de antemano finalmente cobró sentido. Te fuiste demasiado pronto, como lo hacen todos los perros, y me dolió como sólo tú y yo podremos nunca entender. Se fue una parte de mí, un trozo de mi vida, un jirón de mis secretos, y quedó la cicatriz de tener que seguir haciendo lo mismo pero de otro modo, porque ya nada sería igual.

Ya no estabas ahí. No recorrías los recovecos de la casa buscándome, ya no me escoltarías junto a la ducha para lamerme las gotas que se escurrían por mis pies hasta descansar sobre la toalla. Ya no saltarías de emoción al abrir la puerta, ya no te quejarías cuando te dejara sola. Ya nada sería como antes, aunque tuve que engañarme y creer que sí.

Y, a pesar de todo, te aseguro que siempre te recordé con alegría, la misma con la que tú me recibiste durante años al llegar a casa. Ya fuera de día o de noche, verano o invierno, movías la cola anunciando tu emoción nada contenida por volver a verme. Nadie, nunca, me ha dicho un *hola* tan alegre y sincero sin palabras.

Pero he de confesarte algo, Mía. Ahora que soy yo la que puede partir, creo que si algo tiene de bueno morirse pronto es que no tienes que sobrevivir a la gente a la que quieres. Ver cómo van desfilando los seres queridos debe de ser horrible. Tú no tuviste que pasar por eso.

Estoy convencida de que el que se va también echa de menos, pero a todos sus seres queridos a la vez. En cierto modo, es una suerte el no haber padecido las pérdidas una a una. Fuiste afortunada, después de todo.

Mía, te quise a pesar de que fueras un perro. Te quise porque eras un perro. Te quise por ser cómo has sido. Te quise sin raza ni pedigrí.

Y te sigo queriendo porque te quise. Porque ni un día de los muchos que estuve contigo me sentí sola.

Y entonces, mi condicional se volvió incondicional.
Llegaste tú.

El dolor continúa y dudo que sea capaz de continuar con vida mucho más tiempo. Aparto por un momento mi pensamiento de ti, Mía, abro los ojos y compruebo que sigo respirando y que, por tanto, continúo viva. Ante mí se presenta un desfile de siluetas distorsionadas, pero una de ellas consigue hacerse más nítida que las demás. Es mi abuela Inmaculada.

4

Mi abuela siempre se sentó a ver la vida pasar. Lo hacía con mimo, sin prisas, dedicándose tiempo a perder el tiempo en la contemplación. Era sabia a pesar de no tener estudios, ligera a pesar de las redondeces de su cuerpo. Era noble sin sangre azul. Era la generosidad en un mundo de miserias.

Siempre dio más de lo que tuvo, y eso a pesar de que tenía bastante poco para despilfarrar. Guardaba las perras, esos duros y pesetas que para ella seguían siendo moneda de la posguerra, en una cremallera del sofá con el mismo ahínco que defendía a los suyos. «No tengo mucho, pero he ahorrado para darte estas mil pesetas por tu cumpleaños.» Y se limpiaba la boca, como si a mí me importara si acaso es que estaba sucia. Y me besaba. Y me llamaba hermosa con la boca amplia a pesar de tenerla diminuta. Y como buena miope, se quitaba las gafas para verme de cerca. Porque nadie como mi abuela se empeñó en verme tan al detalle. Incluso los defectos ella los maquillaba con sus dioptrías generosas y se convertían en virtudes para sus ojos. Y los míos.

Mi abuela murió hace doce años. Más de una década de ausencia, pero no de abandono. Siempre han estado presentes en mi vida cotidiana sus manos y sus pies, tan pequeños que a veces dudaba si podría darse la vuelta por falta de equilibrio. Envejeció tan dignamente como quiso el paso del tiempo. Las canas brotaron en su cabeza de manera precoz, pero las disimuló con un baño de color hasta que un día se levantó y se dio cuenta de que ya era mayor. A pesar de que ella no era «una de esas viejas», como siempre me insistía. Ella no era anciana, pero se hizo mayor, y aquel día creyó que debía lucir su pelo blanco y dejarse de tintes. Y medias tintas.

Y entonces pasó a ser Inmaculada en el sentido más literal. Una mujer tan grande como pequeña de estatura. Tan habladora como prudente a la hora de juzgarte, tan antigua de ideas como moderna en su comprensión. Una mujer valiente que apostó por el amor a pesar de que eso no le daría muchas alegrías en lo económico. Se inclinó por la opción menos rentable para el bolsillo pero más plena para el corazón. Llegó mi abuelo. Un apuesto galán, buen mozo, un seductor aún más humilde que ella. Y la conquistó.

Con sus aires de joven soñador idealista, con ganas de comerse el mundo, aunque ese mundo lo llamara a filas. Suerte que la edad no se lo permitió y tuvo que conformarse con apoyar a los republicanos desde la trinchera de su casa del pueblo, una villa rural con tantas cuestas dibujadas en sus calles como después encontraría a lo largo de su vida.

Su hermano sí que pudo alistarse y eso le costó a él el calabozo durante varios meses y a su madre un paseo por el pueblo con la cabeza rapada. Porque así era como se aprendía la lección en aquellos tiempos: dando ejemplo de manera poco ejemplarizante.

La casa de mi abuela olía más a incienso que la de su enamorado. Por alguna razón, mi bisabuela se llevaba bien con el cura, pero Inmaculada nunca se llevó bien con su propia madre. Y eso la alejó de la casa de Dios, pero al menos le sirvió de indulto por tantos «pecados ideológicos» de su consorte rojo. Las velas encendidas y el olor a cera evitaron males mayores y consiguieron que los castigos para la familia díscola de su novio fueran más livianos.

Inmaculada siempre estuvo más cerca de su padre, quien falleció demasiado joven. Muy pronto para él y, desde luego, para ella. Aquella ausencia le dejó en herencia una única fotografía que la acompañó como un preciado tesoro hasta la tumba. Y allí continúa. La dote fue la bondad y una sonrisa contagiosa.

Mi abuela, como su padre, pasó hambre y penurias, y tuvo que comer mendrugos de pan duro para que su primogénito pudiera llevarse algo tierno a la boca. Ella y mi abuelo, Enrique, tuvieron varios hijos. Y otros varios que se quedaron en el camino.

La pérdida de la pequeña no volvió loca a mi abuela porque no se lo podía permitir, pero le dejó una huella tan indeleble como la cicatriz de aquel parto. Morir en aquellos tiempos formaba parte de la vida aunque tuvieras menos de ocho años. La pequeña Lucía enfermó, primero de tos, después de pulmón, que finalmente alcanzó el corazón.

El desgarro sumió a mi abuela en una profunda depresión que la acompañó el resto de sus días, aunque ya apenas se percibiera desde el exterior. Lucía trajo lágrimas a la familia, pero también produjo una unión entre los hermanos tejida con hilo de sedal que resistió muchos años más. Hasta que un «mal malo» acompañado de un «dolor miserere» se llevó por delante a otro de los vástagos de Inmaculada y Enrique.

La enfermedad innombrable le consumió tan rápido como la ceniza de los múltiples cigarrillos que se había fumado durante años. Ángel era carpintero y tenía unas manos de oro esculpidas para el virtuosismo. Conseguía hacer arte con un cincel, un martillo o un serrucho. Unas manos que siempre estaban ocupadas mientras en la comisura de sus labios se desvanecían, uno tras otro, los pitillos hasta convertirse en colilla. La marca del labio provocada por el filtro comenzó a formar parte del paisaje de su boca. Las costras cada vez más frecuentes se convirtieron en heridas constantes que al final ya no pudieron cicatrizar ni sanar. Tampoco él.

La ausencia de su segundo ángel llenó de desconsuelo a una Inmaculada ya agotada de pena, que, pese a todo, nunca dejó de reírse de la vida.

Creo que de ella heredé mi debilidad por la vida hedonista, aunque ella nunca supo el significado de esa palabra, ni si llevaba H inicial o no. Su pasión eran los milhojas, y tampoco en este caso hubiera sido capaz de deletrear el término ni mucho menos de encajar esa H intercalada traicionera.

Mi abuela se centraba en los sentidos. El tacto al clavar los dedos en las múltiples capas de hojaldre. El olfato al intuir la crema y el gusto por engullir aquel exquisito bocado que, a pesar de no ser un manjar, su economía no le permitía degustar con tanta frecuencia como le reclamaba su gula.

Adoraba los milhojas, el pan con todo y el vino con gaseosa. Nada de reservas, ni añadas, ni merlot, ni cabernet. Vino de la barrica de Otilio y gaseosa en botella que recordaba al sifón. Le gustaba lo sencillo porque ella lo convertía en algo extraordinario.

Y ahí nacía la magia. El placer de lo mundano, el lujo de lo cotidiano. Esbozaba una amplia sonrisa y decía con voz altanera: «¡Viva el lujo y quien lo trujo!». Y se metía en la boca el último trozo de pan con fruta que remataba con un buen trago de vino. «La fruta sin pan es una tristeza, tan triste como comer pan duro. Yo ya he pasado por eso, Malena, y ahora no me pillarás en un renuncio. Aceitunas con pan, el puchero con pan, la fruta con pan y el vino con pan. Las siestas hay que prepararlas a conciencia para que al cuerpo le luzca bien ese ratito sagrado. Me voy a descansar las piernas.» Y así conseguía construir un discurso tan seductor que incluso yo, que odiaba echarme la siesta por entonces, me tumbaba en el sofá para que me descansaran las piernas y ya de paso yo también.

Inmaculada dormía en camisón y con un orinal debajo de la cama. El camisón estampado de algodón desgastado y amplio de sisa, que ella misma había recortado para evitar rozaduras incómodas. El orinal era como eran los orinales: poco elegante y aún menos higiénico. Pero era suyo y no me importaba nada más.

Durante la adolescencia transcurrí por unos años de extraña rebeldía en los que me opuse a cuestiones absurdas como que mi abuela se enredara en la conversación de cualquier vecino de tren o autobús.

—¡Abuela, a mí me da vergüenza que hables con la gente!

—Cariño, si sólo le he preguntado hasta dónde llegaba el coche de línea.

—Y luego has seguido con lo de si era del pueblo o estaba de paso. Y así un rato.

—Lo siento, Malena, ya sabes que a tu abuelita le gusta hablar. No te enfades conmigo, anda.

Y entonces me sonreía y me desarmaba y yo ya no podía seguir tratando de ser rebelde ni obviarme a mí misma que lo que en realidad me molestaba era que yo no conseguía desprenderme de esa timidez para relacionarme con desconocidos.

Parpadeo, vuelvo a abrir los ojos y la figura de mi abuela ha desaparecido.

Solamente en tu recuerdo
Sola mente, tu recuerdo

5

Todo es muy confuso. Soy incapaz de mover un solo músculo y tampoco pienso con claridad. Tras una breve interrupción, logro escuchar de nuevo las sirenas a lo lejos y, ahora sí, una voz masculina que me pide que me tranquilice y que no deje de respirar.

—Tiene pulso y parece que está consciente, pero respira con dificultad —informa mi salvador al resto de personas que no alcanzo a ver pero que intuyo.

—Pásame la manta. Hay que cortar la hemorragia. No deja de sangrar. Tenemos que sacarla de aquí ya o se nos va. —La voz es de una mujer que pide celeridad a sus compañeros—. ¡No te duermas! —me grita mientras noto cómo me inclina la cabeza hacia atrás para intentar abrirme las vías respiratorias sin mover el eje de mi columna vertebral—. Ya ha pasado lo peor. Has tenido un accidente. Te hemos sacado del coche. ¿Puedes oírme?

Logro parpadear levemente y vuelvo a cerrar los ojos. Y, de nuevo, silencio.

Desde pequeña lo he sabido. Necesito sufrir todo el tiempo para quitarme importancia. Siempre ha sido así. A mi edad, y después de extensas conversaciones conmigo misma, he llegado a esa conclusión. He preferido preocuparme en lugar de simplemente ocuparme. Gran error.

Y en esa *semiangustia* vital a la que he logrado sobrevivir todos estos años, he comprobado que la felicidad es lo más parecido a una piscina de bolas de un parque infantil. Cuando crees haberla alcanzado te parece fascinante, acogedora, capaz de amortiguar cualquier golpe imprevisto. Es el paraíso, pero a la vez te asusta. Aparece el miedo a que de repente las esferas se agrupen, se reordenen y te hagan el vacío dejando el hueco perfecto para que caigas de bruces contra el suelo. Ese temor a que no dure lo bueno, a que el suelo se imponga frente al confortable colchón de bolas de esponja en el que ahora te meces.

A eso se reduce mi vida. No me puedo quedar mucho rato en los momentos de felicidad. No sé qué me sucede. Siempre me escapo. Imagino que es por temor a que ese momento pase, me deje atrás y me abandone. Prefiero irme yo antes.

Yo soy ese niño asombrado ante ese enorme parque de bolas. Todo parece perfecto, mi felicidad depende de mí y yo dependo de mis miedos.

De nuevo una voz me alerta para que no me duerma.

—¿Cómo te llamas? —me pregunta alguien mientras me agita con fuerza la cara.

«Malena», pienso, pero soy incapaz de articular palabra.

—¿Sabes qué te ha ocurrido?, ¿dónde estás? Joder, no me contesta. ¡Ponemos el collarín y nos la llevamos ya! —alerta con gran agitación la misma mujer de antes.

Pensé tantas cosas que podrían pasar
Y, al final, era el miedo lo que pasaba

6
—

No sé si sería algo premonitorio, pero he de reconocer que, en alguna ocasión, he fantaseado con la idea de mi funeral. Sé que suena algo tétrico, pero es la realidad. Pertenece a una de esas parcelas prohibidas que nunca confesaríamos salvo que estuviéramos al borde del precipicio de la vida. O de la muerte, según se mire.

En cualquier caso, no creo que sea algo de lo que avergonzarse. Todos hacemos y decimos cosas que serían difícilmente defendibles si las sometiéramos al alto tribunal del buen hacer. Por ejemplo, esos hombres, muchos, casi todos —arriesgaría un brazo y no lo perdería, estoy convencida— que en algún momento de sus vidas se han colocado ante el espejo con sus partes entre las piernas para ver el «efecto pubis» similar al de Buffalo Bill de *El silencio de los corderos*. Me lo han comentado muchos amigos varones y nadie se escandaliza por ello. Pues yo igual, pero con mi funeral.

Creo que la espita macabra saltó al ver una serie estadounidense. En uno de los primeros capítulos, un investigador muy astuto analizaba la grabación de un velatorio en una casa y descubría que la madre del fallecido no manifestaba expresiones de dolor. Todo apuntaba a ella como culpable de aquella muerte que andaban investigando. Finalmente, nuestro perspicaz protagonista llegaba a la conclusión de que si la hierática mujer no gesticulaba no era por ausencia de dolor, sino debido al bótox. Y concluía su tesis alegando que es prácticamente imposible detectar la tristeza en un rostro paralizado por la toxina butolímica.

Imagino que aquella escena despertó la zona más lúgubre de mi cerebro y esa misma noche soñé con mi propio funeral. Mi capacidad para relacionar ideas siempre ha sido mayúscula; una virtud que me conduce a almacenar situaciones absurdas la mayor parte del tiempo y que, en aquella ocasión, me llevó a enterrarme en vida. A mi muerte onírica.

A pesar de lo trágico de la situación, confieso que me sentí algo reconfortada al comprobar que ninguno de los invitados a mi macabra fiesta se había inyectado bótox y, por lo tanto, eran capaces de expresar el dolor por mi ausencia con gran hondura.

Los visualicé a todos: mi familia destrozada, Alejandro y Vega abrazados, Mario compartiendo sofá y silencios con Eva, mis abuelos charlando con Carlos, Ismael cediéndole el sitio a mi entristecido *affaire* francés. Aquel numeroso grupo de vivos y muertos tan dispares coincidía en llorarme. Fruncían el ceño, exteriorizaban la pena, mostraban un gesto adusto y los ojos hinchados. Estaban tristes por mí.

Todavía hoy soy incapaz de definirlo, pero hubo algo de placer prohibido al contemplar cómo lloraban a moco tendido y sin reservas ante mi ataúd.

Ese contraste de sabores, esa sensación agridulce, ese toma y daca emocional, me conduce a las vivencias con Mario. Eme, el responsable de tantos placeres que nunca debieron consolar tanto llanto.

Me abrazaste
tan fuerte
que terminé
por quebrarme

46

7
MÍA

—

El día que me fui de este mundo, Male, no me hizo
ni puñetera gracia. Debo reconocer que hasta ese
instante llevé una vida que no merecía. O quizá sí,
pero es que, de verdad, era la bomba. Me levantaba
tarde y antes siquiera de desperezarme ya estabas
pasándome la mano por el lomo. Nadie como tú conocía mis debilidades. Me acariciabas con los dedos
blandos detrás de las orejas y me rascabas con fuerza
a contrapelo por la nuca; sólo de recordarlo vuelvo
a salivar de gozo. Si me ponía panza arriba dibuja-
bas un eslalon perfecto con tus manos sorteando
mis tetitas y deteniéndote en las zonas donde sabías
que se me erizaba hasta el pelo del hocico.

Fueron dieciséis años de convivencia inolvidable.
Éramos compañeras de piso, de vivencias, de rutinas
y, cómo no, de confidencias. Nos entendíamos a la
perfección. Durante todo ese tiempo fuimos las me-

jores amigas. Recuerdo perfectamente cada una de tus citas, los nervios mientras te arreglabas, los mil cambios de ropa frente al espejo. Y recuerdo también cuando al llegar me guiñabas un ojo si volvías acompañada y me señalabas sutilmente el sofá. Era nuestro código secreto: «Si pillo, te piras». Y me tocaba migrar de nuestra habitación —porque era nuestra, ya lo sabes— y hacer guardia sobre un cojín en el salón.

Lo cierto es que no sucedía demasiado a menudo, así que muchas de las noches que compartimos durante nuestra larga convivencia de tres lustros las pasé hecha un ovillo a los pies de tu cama.

Lo único que no te perdono, Malenita, es que no me permitieras conocer varón. Confieso que de tanto andar con humanos nunca fui muy sociable con otros canes. En mi defensa diré que hay algunos colegas que no los aguanta ni la perra que los parió, pero de ahí a no catarlos hay un mundo.

Nunca me gustaron los muy corpulentos que, en cuanto se menean un poco, comienzan a sudar por la lengua como bestias. Tampoco me van los perruchos que son muy canijos, ni los salchicha, aunque un verano me dejé querer —sin consumar— por uno de éstos. En fin, perrillos a la mar.

Llámame anticuada, pero siento debilidad por esos machos que te abarcan y te cabalgan sin dificultad, pero —cuidado— sin ponerte perdida de pelos.

Ya lo sé. Toda mi vida pequé de ser muy exigente, pero es que un can como yo debía hacerse valer. Siempre he sido muy mía. (Adoro este chiste incluso desde la eternidad. ¿No es fabuloso, Male?)

Recuerdo a Lucas. Era muy atractivo y con cierta clase, con una pose que lo convertía en un cuadrúpedo diferente. Tenía el pelo castaño brillante. Un foxterrier muy bien educado, con una cadenita de cuero al cuello con su nombre grabado en una pequeña placa. En fin, que por una vez dejé de lado mi obsesiva inclinación por los chuchos hipsters y me fijé en uno que, sin ser de rancio abolengo (por ahí no paso), se notaba que venía de una familia bien que me facilitaría las cosas. Me habrían dado pienso de marca gourmet y muchas chuches con forma de hueso. Eso, y que me encantaba. Me gustaba mucho. Muchísimo.

Pues bien, Lucas resultó ser un descarado. A la primera de cambio, ni chip, ni adiestramiento con tutor privado, ni nada. Sin mediar medio ladrido fue directo a olisquearme el trasero. Que no digo que no me apeteciera, porque yo seré una perrita mestiza sin pedigrí, pero muy bien educada, y considero que lo mínimo que debería haber hecho Lucas es el clásico cortejo de *olisqueo-meaparto-olisqueo-doy dosvueltas-olisqueo-meaparto-olisqueo-tedejoconlasganas-yavolverás.*

En cuanto me olfateó un instante, mi Lucas sacó su rugosa lengua y lamió mis honrosas partes. Yo, que por entonces era cándida y muy prudente, me dejé querer unos instantes por pura cortesía. Siempre he suplido mi raza modesta con unas magníficas dotes de sociabilidad y buenas maneras. El caso es que Lucas sacó y metió lengua y ya no me gustó tanto como para convertirse en padre de mi camada.

Y ahora me arrepiento.

Me arrepiento una barbaridad. Me arrepiento a diario no sólo porque creo que habríamos tenido una descendencia divina si la caprichosa genética nos hubiera congraciado con consolidar mi inteligencia y su belleza, sino porque así no sólo hubiera catado lengua.

Es la primera vez que te lo cuento, Male, pero Lucas aquel día se puso contento al verme. Y yo, lejos de dejarle cabalgarme como si fuese el último día de nuestra perra vida, me hice la estrecha. Y me arrepiento. Cuando vi su fusible encendido sentí pánico. Me dio miedo. Pensé que mi frágil cuerpecito no soportaría que me hiciera suya a la vista de la turgencia de su mástil. Aquello era inenarrable. Era un enorme semáforo en rojo, un cohete, era la Enterprise. Y yo me hice caquitas. En sentido figurado, pero así fue. Y me arrepiento.

Lucas tenía una dentadura perfecta con sus piezas blanquísimas alineadas a compás. El hocico a dos tonos perfectamente delimitado por unos atractivos bigotes que detectaban mis instintos más perrunos. Y sus patas. Ay, sus patas que sujetaban un cuerpo hecho para la perdición canina. Eran proporcionadas a su compacto cuerpo. Las tenía prietas como el resto de su apolínea figura y moteadas, jaspeadas en tonos canela salvo la parte inferior. La base de esas columnatas jónicas era blanca, impoluta, perfecta. Aquellos calcetines claros de pelo natural con los que siempre vestía lo convertían en un can muy peculiar, único.

En el perro de mi vida.

8

El amor es como la lluvia. Hay climas templados, con sus estaciones, sus épocas más húmedas y otras más secas. Hay climas áridos en los que la lluvia se presenta a modo de ensoñación, como si de un oasis se tratara. Climas árticos, tan fríos y heladores como el polo. Y luego estabas tú, Mario, tan tropical que abrasabas. Un ciclón a tu llegada que dejaba desolado todo a su paso. Supongo que a las temporadas de tifones uno nunca se acostumbra, pero va más preparado cuando ya conoce el devastador efecto que conllevan.

Yo era de clima mediterráneo. No sé si te lo llegué a decir en alguna ocasión. Por eso vuelvo, Mario. Por eso y porque quería mirarte a los ojos por última vez. Con mis primaveras, con esos días luminosos de sol generoso, las largas noches de los veranos de mi niñez, el olor al jazmín de mi abuela, las hojas del otoño, el frío acogedor bajo una manta y las lluvias. La lluvia fina y las tormentas. Y mi tormento, tú.

Siempre he sentido ternura por la lluvia. Cae y nadie la ayuda a levantarse. Y aun así, no deja de caer. Sin miedo. Así es el amor. Cae una y otra vez. A veces una lluvia fina, una nube de verano, un ciclón o una gota fría que lo deja todo enfangado. Así es la lluvia, siempre agua y siempre distinta en cada caso. Y, a pesar de todo, nunca nadie la levanta.

La lluvia sólo tiene una dirección, como los amantes que se precipitan e inexorablemente van el uno hacia el otro como la nube que descarga sobre el suelo. Y sólo cuando de nuevo el sol hace acto de presencia, quizá al día siguiente, quizá dos meses después, quizá la siguiente temporada, sólo entonces el agua se evaporará y volverá a ser nube. Pero ya no será la misma, ni caerá sobre la misma tierra, ni empapará el mismo territorio. Será lluvia, seguirá cayendo, seguirá siendo agua, pero nada sucederá del mismo modo que aquella vez en que lo inundó todo.

Yo me quedé tanto tiempo empapada, sin paraguas, sin consuelo, que cuando dejó de diluviar me quedé inmóvil. Y continué en aquel mismo lugar imaginando que seguía cayendo, que me seguía calando hasta los huesos cuando ya lo único que quedaba era un pequeño charco en el que continuar chapoteando.

Pero era tu charco, Mario, y el mío. El nuestro, pensaba yo.

Que solo no podías estar
tras haberme conocido
Que solo, un sinsentido
Que sólo pensabas
en mí
Sólo eso, me dijiste
Y te creí

9
MÍA

—

Te lo advertí mil veces, Male, pero siempre te diste por eludida. Intenté abrirte los ojos de todos los modos y maneras. Me revolvía ante él, le sacaba los dientes, tiraba de la correa cuando estaba cerca, nunca le dejé que me acariciara. ¡Le hice el vacío tantas veces, jopé! Y tú ¡erre que erre!

El *putoMariodeloscojones* —como a mí me gustaba llamarle con mis colegas cuando nos lo cruzábamos en el parque— se te metió entre sien y sien, en esa cabeza tuya cubierta de pelos largos, y ya no hubo manera de sacártelo.

A ti, como en aquella ocasión me hizo a mí el veterinario, también te tendrían que haber puesto un cartucho-embudo en la cabeza para no poder lamerte las heridas tras tu ruptura con el *cabróndeMario*, el artista anteriormente conocido como *putoMariodeloscojones*.

Porque se portó como un cabrón contigo. Lo sabes, ¿no, Male? Ya deberías haber aprendido la lección y haberle desmitificado. Pero como soy una perrita faldera de las que ya no quedan te voy a recordar algunos detalles que te ayudarán a bajarle del altar al que le subiste y del que ya no quisiste apearle.

¿Recuerdas cuando al principio tenía tantos detalles contigo? Aquella vez que te regaló un viaje sorpresa, la cena improvisada que él mismo había cocinado, la llamada intempestiva para decirte que te echaba tanto de menos. ¿Recuerdas cuando te decía lo mucho que te quería a todas horas? ¿Lo recuerdas, Male? Yo tampoco. Porque nada de eso sucedió. Nunca.

A estas alturas, ya tendrías que saber que Mario nunca fue capaz de pensar en nadie más que en sí mismo. Nunca fuiste tú antes que él, nunca lo primero, sólo la tentación, lo prohibido. Eras un objeto de deseo al que no era capaz de renunciar, pero no tan importante como para dejarlo todo por ti.

Si buscabas empatía en alguien lo último que debiste hacer fue acercarte a él. Mario era una estrella del rock, un ego astronómico, un YO mayúsculo en tu minúscula existencia. Y tú, Male, eras —eres— todo lo contrario. La generosidad con dos patas, la nobleza vetusta, la sensibilidad cándida, la candidez sensible. Eras un cheque al portador y Mario no dudó en hacerlo efectivo.

Y lo peor no fue que no supiera administrar ese bien preciado que cayó en sus manos, peor aún fue que te dejaras hacer daño. Convertirte en su plural mayestático cuando tu primera persona del singular estaba anulada, el no hablar por no ofender, el segundo plano del segundo plato.

Me acuerdo del día que le conociste. Llegaste emocionada a casa. Me contaste todo durante nuestro paseo diario. «Hay un chico que me gusta en la oficina, Mía. He conocido a alguien que me gusta», me susurraste a la oreja mientras me ponías la correa. En el ascensor no parabas de sonreír y de acariciarme. Se te veía feliz. No dejabas de mencionarle. «Mario me ha dicho que tengo una voz muy bonita.» «Estaba con Mario tomándome un café y nos ha dado un ataque de risa.» «La verdad es que me gusta estar con Mario.» «¿Sabes, Mía? Me encanta Mario.»

A pesar de tu flechazo irracional e irrefrenable, como lo son todos los flechazos, esa *mencionitis* aguda sólo la desarrollaste conmigo. A tus amigas no les contabas todos esos detalles cuando quedabais o charlabais a través del móvil en vuestros habituales chats nocturnos. Con ellas mantuviste hábilmente la cautela para no despertar su inquietud, pero conmigo diste rienda suelta a tu corazón y a tus ensoñaciones.

A partir de entonces, tu vida fue derivando paulatinamente en un infierno voluntario, pero recuerdo con nitidez el día que comenzó tu sufrimiento estéril por el *putoMariodeloscojones*.

Era domingo y, como siempre hacíamos después de comer, estábamos tumbadas en el sofá viendo el maratón de películas de sobremesa de la tele. Tú permanecías muy callada y ni siquiera estabas pendiente del móvil. De repente comenzaste a llorar. No fue un llanto estrepitoso; las lágrimas comenzaron a brotar en silencio —como nos manteníamos nosotras— y únicamente me percaté de la situación cuando alcanzaron una de mis patas. Me incorporé como un resorte automático y empecé a lamerte la cara. Siempre me ha gustado chuparte las manos. Era mi manera de darte besos, pero lo cierto es que tu cara era mi debilidad. Tan suave, tan blanca, y sin pelo.

«Tiene novia, Mía. Viven juntos, aunque Mario me ha confesado que no está enamorado de ella. Dice que me quiere, pero que sus padres le matarían si se enteran de que la deja por mí.» Y así fue como me enteré del comienzo de la historia de amor más tortuosa de tu vida. La más amarga. La farsa de tu vida.

Yo me empeñé en señalarte a otros chicos por la calle. Me hacía la encontradiza con perros que no me interesaban única y exclusivamente porque sus dueños me gustaban para ti. Pero tú andabas a lo tuyo. Sólo tenías ojos para Mario. Como él, que también tenía ojos únicamente para sí mismo.

Ojalá no hubieras ascendido en tu trabajo, Male. Ojalá hubieras seguido donde estabas, pero tuvo que surgir aquella promoción de aquel puesto al que no te podías resistir. Y allí estaba él. El director de una de las oficinas que tenías que visitar al menos dos veces por semana.

Me di cuenta de que estabas enamorada cuando vi cómo preparabas la ropa antes de tu primera cena a solas con él. Nunca te había visto tan nerviosa por una cita. Finalmente te decantaste por algo sencillo, pero sólo nosotras sabemos lo poco sencilla que fue aquella decisión.

El *putoMariodeloscojones* llegó a casa y se mostró muy atento conmigo. He de confesar que en aquel momento me pareció un tipo majo y —lo reconozco aunque me cueste— incluso atractivo. Entonces todavía desconocía sus antecedentes y le concedí el beneficio de la duda y de la ignorancia.

Habías preparado una cena fría. Lo sé porque algo pillé al vuelo mientras me paseaba bajo la mesa y rondaba entre vuestras sillas. Él dijo que le gustabas mucho, pero que su situación era muy complicada. Yo no terminaba de entender muy bien todo aquello. ¿Qué podía ser tan complicado en la vida de Mario?

La conversación se fue animando con una copa y, finalmente, ya recostados en el sofá, Mario terminó lanzándose. Te besó y comenzó a desnudarte lentamente. Yo, para entonces, no sabía muy bien dónde esconderme, pero decidí quedarme allí para asegurarme de que todo iba bien.

«Nunca nadie me ha besado así, Mía.» Eso me confesaste al día siguiente. Lo decías ilusionada, pero con cierta amargura en tus palabras. Lógico. Nunca estuviste segura de salir victoriosa de aquella partida. No tuviste claro que la ganarías. Nunca mostraste confianza ni seguridad ante él. ¿Y sabes qué, Male? Menos mal, porque ésa fue tu victoria. El triunfo te llegó después, aunque tú lo vivieras como un desgarro insoportable.

10

—Tenemos que estabilizarla.

No es la misma voz de hace un rato. Abro los ojos, veo a una doctora con bata blanca y pelo recogido. No deja de mirarme y de hacer preguntas al personal sanitario que empuja la camilla.

—¿Cuánto tiempo lleva así? ¿Ha estado consciente en todo momento? ¿La habéis inmovilizado?

«¿Inmovilizado? —pienso—. Pero si apenas puedo respirar, moverme sería imposible.» El dolor es muy intenso, aunque sería incapaz de decir qué parte del cuerpo me duele exactamente. Me parece un mal sueño. Mis recuerdos son vagos. En mi mente se agolpan imágenes: mi coche, el asfalto, unas luces cegadoras y aquel animal que salió de la nada y que no pude esquivar.

Soy consciente de que algo grave ha ocurrido, pero desconozco la magnitud del percance. No logro hacerme una composición de lugar. Intuyo que estoy en un hospital, pero no logro ubicarlo. Por momentos olvido quién soy.

Recuerdo la voz de Alejandro al teléfono unos minutos antes del impacto y poco más. Después llegaría aquel aviso de mensaje recibido en el móvil, mi mirada a la pantalla y un WhatsApp de Mario:

Me gustaría verte

A partir de ahí, todo es desconcierto. Algo muy extraño. Mi vida pasa lentamente ante mí mientras yo me aferro al volante y a la vida, que sale despedida.

Mi mente rescata la imagen de aquella vez que me fui sola a pasear por la playa. Era finales de octubre, pero el Mediterráneo me regaló un día cálido y luminoso. Caminaba por la orilla mientras contemplaba el mar mecerse plácidamente sobre la arena en unos tramos y unos metros más adelante chocarse con algo más de brío contra las rocas del espigón.

El paseo marítimo, tan transitado en los meses de vacaciones, entonces era un refugio para solitarios como yo. A lo lejos divisé en un banco sentados a dos jubilados nórdicos. Hubiera jurado que eran escandinavos por su fisonomía, aunque cuando estuve a su lado reconocí el acento alemán.

«Estos guiris sí que saben —dije para mí—. Vienen a España en la última etapa de sus vidas, tras la jubilación, y ¡a vivir!»

Vestían ropa de verano. Pantalones cortos, camiseta de tirantes y sandalias con unos calcetines blancos subidos hasta las pantorrillas. Las bicicletas yacían tumbadas a un lado para no interrumpir el paso de algún otro despistado como yo. La pareja comentaba alguna anécdota y sonreía.

Eso es lo que se hace en la playa. Mirar plácidamente al mar, calmarle el gesto a la vida y sonreír.

Al ver esa complicidad entre ellos pensé en lo que haría yo en esa etapa de mi vida. Mi tercera edad, la edad de oro, ¿sería de retiro en la playa? ¿La compartiría con mi pareja, nos subiríamos los calcetines hasta la pantorrilla y miraríamos el mar?

En aquel momento deseé que eso me sucediera en el futuro. Decidí que quería llegar a vieja y en compañía. Vivir tranquila en la costa. Yo también tenía derecho a lo que estaba experimentando aquella pareja de jubilados alemanes. Disfrutar de ese momento de tu vida en el que dejas de ser para aprender sólo a estar.

Imagino que será la angustia vital de estar al borde del abismo la que me lleva a recordar aquel pasaje que ahora me advierte de que quizá mi deseo no vaya a cumplirse. Quizá vaya a morir joven. Una sentencia que, salvo para leerla en la biografía de una estrella del rock, no me reconforta demasiado.

En este momento me viene a la mente la conversación con Alejandro justo antes del accidente, ese impacto brutal que me hizo dar varias vueltas de campana. Estaba contento, como siempre. Lo vería en breve, pero tenía la costumbre de llamarlo desde el coche cuando volvía a casa después del trabajo. Y también recuerdo el mensaje de Mario. ¿Para qué querría verme?

Mi corazón se aceleró al ver su nombre sobreimpresionado en la pantalla del móvil. Hay personas que tienen ese poder sobre nosotros. Te desestabilizan. Justo lo que yo tenía que evitar si quería recuperarme y no recaer nunca más en las tentaciones prohibidas.

Y allí estaba yo, a las puertas de la muerte cogida de la mano de una última llamada y de un mensaje sin responder. Mis pensamientos continuaban agolpándose y yo no podía dejar de pensar en las adicciones, las relaciones tóxicas y el amor a golpe de subidón de endorfinas.

El vértigo de la cabeza en las nubes,
el antídoto de los cuerpos envenenados,
la felicidad comprada en un boleto de feria,
los bailes de salón adulterados.

Ventisca en los ojos,
la luz traicionera,
verdades a medias,
mentiras sinceras.

Tu arnés con sostén de goma,
la risa suelta,
cuchillo sin mango,
la cuerda floja.

El filo de la navaja,
mi abrazo hueco,
palabras sordas,
oídos necios.

Tinieblas de paso,
besos eternos,
cortinas de humo,
fantasmas en cueros.

Muerte a costa de vida,
vida que en la costa muere.
Golpe de suerte en vida,
vida a golpe de pequeñas muertes.

11
MÍA
—

Me acabo de enterar —esto es un patio de colegio, Malenita, una corrala— de que te estás planteando venirte para acá. Las noticias vuelan y ha llegado hasta mis orejas de galgo venido a menos que estás reguleras. Me cuentan que estás luchando por tu vida tras un terrible accidente de coche.

No sé, Male, tengo muchas ganas de verte, pero ¿no crees que eres un poco joven para embarcarte en esta aventura? Deberías hacer como yo: aguantar mientras el cuerpo resista. Para venir a la eternidad tienes toda la vida.

Odio los hospitales casi tanto como la consulta de mi veterinario. No sé el tiempo que llevarás en la uci, Male, pero te aseguro que tienes mucho mérito. La única vez que me ingresaron en una clínica la recuerdo con auténtico pavor. Allí sólo había perruchos endebles, era deprimente. Eso, y que me tocó pasar la noche al lado de un gato. ¡Un gato! Odio los hospitales.

Me dejaron en observación porque me había tragado algo y no daban con lo que era. En la radiografía —qué agradable es hacerte una placa en invierno— aparecía una mancha que aquella doctora no terminaba de identificar, así que decidió internarme. Me despedí de ti con tanta tristeza que sólo hasta un buen rato después no me percaté de que mi vecino era un felino.

Era feo como pegarle a un padre con un bozal sudado. Y arisco e impertinente. Y todo lo hacía para llamar la atención y que la «doctora Amor» lo reconfortara acariciándole el lomo. Menudo bicharraco espabilado estaba hecho.

La cuestión es que, al cabo de unas horas, mientras todos dormían, comencé a encontrarme fatal y a temblar como el yorkshire de Paris Hilton. Intenté vomitar, pero aquellas arcadas únicamente consiguieron enfadar a mi colega de celda, Félix el gato. Empezó a maullar como un poseso y me hice de cuerpo encima. Literal.

La «doctora Amor», que seguía de guardia, vino a nuestro encuentro, calmó a Don Gato y me cubrió de mimos después de limpiarme. Atisbó algo sólido entre mis excrementos —ella se empeñaba en llamar *heces* a mis caquitas líquidas—. ¿Por qué los médicos se empeñarán en no llamar a las cosas por su nombre? Podría haberme dicho que entre mi caca halló un globo que me había encontrado en la calle y que absorbí cual oso hormiguero. Pero no, ella prefirió analizar las heces con extrema cautela hasta que dio con un trozo de plástico maleable.

«Un trozo de plástico maleable», escribió en el informe. ¡Un puto globo es lo que expulsé! Efectivamente, como sospechábamos, algo me había tragado: mi propio orgullo y mi dignidad mientras la doctora me limpiaba mi trasero con una gasa húmeda.

Así las cosas, entenderás, Male, que no sea una apasionada de los hospitales. En su defensa he de decir que por lo menos a nosotros nos dan comida con sabor. Pero ¿qué manía es esa de daros un menú sin sal? Estoy convencida de que quieren acabar con la saturación de enfermos clínicos a base de aburrimiento. Te digo yo que una dieta así no la resiste ni Rin Tin Tin. Esas bandejas que os sirven cuando estáis hospitalizados dan miedo. Os ponen la comida en una mesa con oquedades que rellenan de sopas con cosas flotantes que no tienen sabor ni textura reconocibles. Es el menú «color topo»: todo el mundo sabe que existe, pero nadie podría definirlo con precisión.

Alguna vez he recibido por conmiseración algún trozo de pan o jamón cocido de esas bandejas que las carga el mismísimo Mini Baldomero. Me provocó tal sensación esa gelatina rancia del jamón que tuve que comerme un par de flores de uno de los ramos que dejan en las puertas de las habitaciones de la planta de maternidad.

¡Por amor de Pluto!, qué mal rato pasé. Finalmente acabé retozando en el jardín mientras se disparaban los aspersores del riego. A la vuelta de mi escapada me topé con una de esas máquinas dispensadoras de productos aparentemente comestibles.

Es curioso porque esas máquinas, que fueron diseñadas para salvaros la vida en casos de extrema necesidad en oficinas, hospitales y calles oscuras, lo único que os proporcionan son bocadillos en estado de semicongelación y laxantes de café. Y disgustos, ¡muchos disgustos! Como cuando el bollo de chocolate crionizado se queda atascado en esa suerte de espiral metálica del mal que te obliga a zarandear la máquina en un combate cuerpo a cuerpo a lo Mad Max.

Y hablo de todo esto con conocimiento de causa porque tuve que recorrer varias plantas hasta que di con los rincones exquisitos del *vending market*. Allí me cayó al hocico un trozo de sándwich que me hubiera venido genial para alicatar la caseta del jardín que nunca tuvimos.

Me he ido del tema, Male, ya sabes que doy muchos rodeos para todo, especialmente antes de encontrar la postura idónea al tumbarme. Pero venía a contarte que ahí fuera, en la sala de espera de la uci, hay muchas personas que te quieren y que están aguardando tu mejoría sentados en unas sillas diseñadas por unos suecos sin sentimientos.

En mi humilde opinión, no deberías prolongarles la tortura. Me refiero a que seas fuerte y te recuperes. Como cuando veíamos *Rex* y siempre conseguía salvarse al final. ¿O era *Lassie*?

Lo dicho, Male, no tengas prisa por venir a la eternidad.

12

Hoy he vuelto a hacer trinchera en mi ventana.

Esa ventana —la mía— que siempre dio a tu calle y que siempre estuvo pendiente de ti. Ese callejón sin salida. Esos vecinos del miedo, esas farolas a media luz, esas vistas a un bloque gris de hormigón que me empeñé en pintar de un azul tan intenso como el cielo para que pareciera que tenía vistas a tu mar. Ese mar que nunca estuvo en calma.

Hoy he vuelto a hacer trinchera en mi ventana.

Y me he vuelto a contemplar con la mirada perdida, tan perdida como lo estuve aquel tiempo en el que te busqué en cada esquina de mi vida. He recordado los años dedicados a tus ausencias, las horas muertas, los minutos vacíos que arañaban al escaparse de mis días huecos sin que vinieras a verme. Sin que estuvieras conmigo siempre. Sin que me quisieras del modo en que te quería yo.

He recordado la emoción al encontrarnos, las ansias por devorarnos, el sexo sin aliento, las miradas que dan tanto fuego y tan poco consuelo. Y también me ha venido a la mente la tristeza empaquetada en la rutina, los ojos hinchados, el pecho oprimido, las palabras de amor sin remedio.

Hoy he vuelto a hacer trinchera en mi ventana.

Y he vuelto a llorar como mil veces antes lo hice en el pasado. Me ha rodeado otra vez el sentimiento envuelto en tristeza de unos recuerdos que, si duelen de este modo, no deberían valer tanto la pena.

Ahora que ya me marcho, y con el propósito seguramente de encontrar un remanso de paz, Mario, intento reflexionar si aquello ocurrió por algo. ¿Qué sentido pudo tener que viviéramos lo nuestro con tanta intensidad? ¿Por qué no lo solucionamos de otra forma? ¿Por qué no pudimos ser felices juntos? Ser felices todo el tiempo.

Y las preguntas se enrocan y de nuevo me conducen al laberinto cruzado de las pasiones y los deseos.

Tu ventana nunca miró a la mía. Nuestras casas nunca estuvieron en el mismo barrio. Nunca fuimos vecinos a pesar de lo mucho que lo intentamos.

Quizá lo que tú querías fuera imposible. Quizá lo que yo quise fuera irreal.

Y ahora que parece que ya no me dueles, ahora que ya puedo escribirte mensajes de nuevo, ahora

que ya no miro furtivamente tu móvil y ya no me duele que nunca estés en línea conmigo, ahora que ya no
estoy al retortero, ni vigilo los soportales de tu casa,
ahora que la herida parece que es cicatriz. Ahora tengo que confesarte que no. Que todavía no. Que nunca fue «ahora ya». Que siempre fue un «aún no».

Ahora que ya no importa que te lo diga, que te lo
confiese, reconozco que siempre estuviste dentro de
mí, incluso los años que estuviste ausente.

Ahora que ya no necesito que me necesites.
Ahora que ya no te regalo esa luna
por más que me insista una vez al mes.
Ahora que tu vida ya no es la mía.
Ahora que mi vida ya no depende de ti.

Ahora que ya no espero tus buenos días,
ni sueño que me despiertas con café.
Ahora que ya no me sabe tan amargo,
ni el que tomo sola ni el que me tomo sin ti.

Ahora que de todo hace demasiado tiempo.
Ahora que veo que tuvo que pasar demasiado tiempo
para llegar ahora.
Ahora que vivo de cara a la vida
y que le di la espalda a vivirla sin ti.

Ahora que ya no te busco
aunque te encuentre.
Ahora que, si me buscas,
mejor que no esté.

Ahora que parece que ya todo pasó.
Ahora, Mario, vengo a decirte que sigo
sin ti pero contigo,
contigo pero sin ti.

Que perdí mi apuesta.
Que aposté todo por ti.
Que me quedé con lo puesto.

Ahora ya no, pero aquí sigo.

Y ahora que esto se acaba para mí, y para nosotros, veo lo poco que fue y lo mucho que ha sido. Confirmo el amor que te di, del que no me arrepiento. Afirmo que fuiste todo para mí cuando todavía no sabía lo que significaba ese todo, ni si sería capaz de entregártelo.

Ahora que apenas recuerdo
los defectos y reproches.

Ahora que prefiero
quedarme con lo bueno.
Ahora vengo a buscarte
porque te quiero.

Y sé que ya no podrá ser, Mario. Habrá distancia.
Desde lejos nos tendremos, como antes. Como siempre. Y me doy cuenta de que ni la muerte podrá acabar con aquello porque nosotros no permitimos
que muriera. (Y me alegro.)

Espero que te acuerdes de mí cuando me olvides

13
MÍA
—

Nací el mismo día de mi cumpleaños. Podría tratarse de una casualidad, pero no creo en el azar. Las cosas suceden por algo, Male. Y yo nací para seguir cumpliendo años desde aquel preciso día. Igual que tú. Así que ahora no me apetece contravenir aquello y quiero que sigas celebrando aniversarios por mucho tiempo. Intento aferrarme a ese pensamiento que te aleja de la muerte mientras alguien dice algo que no logro entender. O sí, pero soy incapaz de asimilar: «La paciente está muy grave. ¿Alguien de la familia ha llamado a un cura?».

Como especie superior, Male, y desde la supremacía que me otorga mi sapiencia canina, no puedo evitar preguntarme cómo los humanos habéis conseguido dominar el planeta con lo idiotas que sois. Idiotas y complicados. Que eso tiene más mérito y puntúa doble para obtener el título superior en el género de la estulticia suprema.

De toda la vida he disfrutado mucho observando vuestro comportamiento mientras permanezco tumbada sobre mi cesta acolchada sin ningún tipo de remordimiento ni cargo de conciencia. Os contemplo y veo a una especie que siempre se ha creído más de lo que es, pero que es incapaz de disfrutar con lo que tiene. Lo que yo te diga, Malenita, muy tontos.

Lleváis siglos —¡qué digo siglos, milenios!— peleándoos por imponer quién es el mejor líder invisible de vuestra manada. ¿Te imaginas que los yorkshire trataran de imponer a los bull terrier su amado líder celestial capaz de convertir el pienso en costillar? ¿O que tuviéramos clasificados y perfectamente ordenados los vicios caninos para imponer la moral perruna? Y para que no se nos olvidasen las enseñanzas, las inmortalizarían y dejarían por escrito en un libro elaborado por los machos más listos del lugar. Ay, Male, sólo de imaginármelo se me suelta el hocico. Parece que los estoy escuchando:

—Oye, contrólame ese chow-chow que está todo el día zampando. ¡La gula que lo parió! Y no pierdas de vista al rottweiler aquel del fondo que siempre está rebotado y el otro día le arrancó media oreja a su vecino, el pit bull. El muy Tyson no supo meterse la ira entre las patas y dejó al pobre Holyfield listo para presenciar la mascletá más atronadora sin inmutarse.

—Y ojo con aquella schnauzer que anda todo el día moviéndole el rabo al labrador. Que le gusta mucho el olisqueo y el lametazo fácil. Contrólamela y que tenga sus posaderas siempre a cubierto. Y de paso, le dices al cocker que se calme, que no pasa nada por que exista en el barrio otro más guapo, más joven y con el pelo más canela que él. A ratos me recuerda al mastín de mi tía, siempre mirando por encima del lomo a todos los demás. Sólo ha habido un perro que me cayera peor que aquél: el chihuahua de la rica de mi pueblo, que era un ansioso acaparando cabezas de muñecas. Como si sólo él disfrutara aplastando a una Barbie, ¡qué jodío!

Mirándolo con perspectiva, Male, es muy fácil entender cómo funciona esto. Aquí hay que hacer caso a los machos alfa que llevan siempre vestido largo aunque no haga frío. Se trata de portarse bien, o por lo menos que nadie se entere cuando metes la pata. Que hay que explicároslo todo a los humanos, leñe. Si la cagas, pues entierras el problema y a otra cosa. Te vas silbando como si nada y, el domingo, vuelves al parque a jugar con los otros perros del vecindario moviendo el rabo dócilmente.

¿Sabes? ¡No sé cómo no se nos ha ocurrido organizarnos así al resto de animales! Quizá sea porque ¡ES UNA GILIPOLLEZ! Te lo digo desde el respeto y el amor que te tengo, Malenita. Es que tienes unos congéneres muy limitados.

Seguiría con mi alocución, pero es que me da pereza. Así te lo digo, sin reparos. Me da pereza porque soy muy perra. Voy a rezar unas plegarias a san Francisco de Asís para que hable con vosotros y otras cuantas a san Bernardo para que os perdone por vuestra ignorancia supina.

Ay, Male, imagino que esta charla no tiene mucho sentido en este momento, pero te veo ahí tumbada e inconsciente y con cables por todas partes y me cabreo. Culpo a tus dioses y a mis demonios.

No sé si puedes escucharme con el ruido infernal que desprende esa máquina que me confirma que tienes latido, que tus pulsaciones resisten y que aún respiras. Si todavía puedes oírme, Male, y te preguntas si merece la pena cruzar la línea prohibida y venir a conocer este otro lado, te diré algo: aprovecha ahí todo lo que puedas. Híncale el diente a la vida y sácale todo el jugo, como nos dijo el viejo sabio Ismael aquel día.

Tú me enseñaste a correr tras aquella cuerda de tonos azules atada con forma de hueso. Me la lanzabas una y otra vez y yo iba tras ella con el único propósito de devolverla a tu mano. Contigo aprendí a no rendirme, a seguir buscando, a acudir sin fuerzas si tú me lo pedías. Ahora soy yo la que te lo pide. Quédate ahí, con vida, recupérate, apúntate a tai-chi, ten un hijo, emborráchate de placer, muérete de la risa; haz lo que quieras, pero no vengas aún.

Siempre lo has dicho, todo lo que es temporal es más interesante. Te atrae lo que está por terminar por el simple hecho de que se acabará algún día. Como tu vida.

14

Aunque ya no te escriba, quiero que sepas que seguí lanzándote mensajes al aire de madrugada. Mi mente, el papel en blanco. Mis pensamientos, los dardos certeros que cubrían el vacío con frases tan sinceras como las que nunca llegamos a decirnos cara a cara.

Aunque al girarme en la cama ya no hubiera más abrazo que el de la sábana regalándome su vacío. Aunque ya no fueras lo último que mirara al acostarme ni lo primero que encontrara al despertar. Aunque ya no te enviara frases a deshoras en las que te recordaba lo mucho que te quería. Que te pensaba todo el tiempo.

Aunque ya no me escribas, aunque ya no me desarmes con la mirada. Aunque haga tanto que ya no escucho tus *tequieros*. Aunque ya nada de aquello parezca resistir al paso del tiempo, de los años, de los celos y los daños.

Aunque ya todo quede demasiado lejos y el cuadro pintado al óleo parezca una acuarela. Quiero que sepas que no hay antídoto ni receta. No hay cura ni remedio para aquello. Hace tiempo que arrojé la toalla, que comprendí que el veneno que intercambiamos permanecerá para siempre. Dentro.

Aunque ya no nos escribamos, quiero hacerte saber por última vez que siempre me quedé con más ganas. Y con ganas de más. Que mi sed era infinita y tú saciabas mis ansias con tu agua y alimentabas con sal las heridas.

Que mi calma era sin ti,
pero me acostumbré a tus guerras.
Que aunque no nos convenimos,
después de ti,
nunca volví a ser la que era.

Que sin ti estaría mejor
y mejor estaría si volvieras.
Que tanta paz dejaste al irte
como infierno en mi candela.

Que al nirvana de tus besos
nunca conseguí vencerlo.
Que el paladar de tu boca

será refugio de anhelos.
Que te quise tanto entonces
como después luché por lo opuesto.

Y a pesar de mis *aunques*, quiero que sepas que
siempre ganaron los *todavías*. Que te quise tanto
que se volvió en mi contra. Y en la tuya.

Que no hubo día que no pensara en ti,
ni noche que no recordara tu aliento.
Que miraba tus *en línea* y tus *escribiendo*.

Que rezaba sin fe
por que me siguieras queriendo.
Que me iba y venía
y siempre terminaba huyendo;
escapando del arrebato asfixiante de tenerte
sólo a ratos,
de quererte todo el tiempo.

Aunque ya no
yo sí
Siempre
Todavía

15

El dolor es cada vez más insoportable. Me ataca de manera feroz y me acuerdo de ti.

Vengo a hacerte mil preguntas aun sabiendo que apenas me puedes ofrecer vagas respuestas. Vengo a lanzarte un POR QUÉ en mayúsculas. Vengo a preguntar el motivo de tu odio, de tu acelerada condena, de tu indiscriminada búsqueda de víctimas inocentes.

Llevo años intentando conocerte, tratando de entender el motivo de tu lucha despiadada. Y no lo he conseguido. Mi parte racional, la parcela científica, intenta buscar explicaciones lógicas que den consuelo al hemisferio visceral que siempre se revela ante tanto desatino.

¿Por qué te llevaste por delante a Juan? Un hombre sabio, comprometido y honesto. ¿Por qué le robaste su otra mitad y lo dejaste casi en los huesos?

¿Por qué lo aniquilaste con aquel odio? Nunca vi tanta fiereza ni poder destructivo.

¿Por qué no te apiadaste de Ana? Ni siquiera su embarazo consiguió ablandarte el corazón. Te revelaste ante ella arrasando con todo lo que encontraste a tu paso. ¿Por qué no permitiste que conociera a su pequeña? ¿Por qué la dejaste en coma hasta que decidiste llevártela por completo?

Son muchas las preguntas, pero tú nunca has dado la cara. Como aquel día que me encaré a ti y te miré a los ojos porque pensé que habías venido también a por mi padre. Y no supiste qué decirme. Porque eres despiadado pero cobarde. Suerte que en aquella ocasión sólo le rozaste y le dejaste escapar. No viniste para quedarte. Menos mal que conseguimos echarte a tiempo.

Estoy convencida de que tú nunca viste lo que les provocaste. La angustia cuando escucharon las seis letras prohibidas de tu nombre, la certeza de que ya formabas parte de sus vidas para siempre. Tú no tuviste que acostarte a su lado cogiéndoles la mano del dolor insoportable. No sentiste el miedo en sus rostros, ni escuchaste los alaridos sordos que trataban de ocultar sin éxito para no preocupar a sus familias.

No viste el deterioro galopante en sus cuerpos. La mutilación femenina de Carmen, la estigmatización del tío Ángel, sin pelo, ni cejas, ni ganas de mirarse al espejo. La profunda tristeza en sus miradas sabiéndose los elegidos por ti.

Pero también te perdiste su rabia, su capacidad de lucha y de encarar la adversidad. El amor incondicional de los suyos. Su capacidad para relativizar y ponerlo todo en perspectiva aunque ya fuera demasiado tarde para algunos. Te perdiste sus ganas de vivir porque tú siempre estás concentrado en lo contrario y, ¿sabes una cosa? Seguirás ganando la partida, continuarás expandiéndote a costa nuestra, pero no podrás combatir las ganas de luchar ni de aferrarnos a estar vivos.

Te seguiremos de cerca, intentaremos entender tus motivos ya que tú no nos das los porqués. Te iremos acorralando. Conseguiremos verte de lejos, muy pronto, cuando ya no supongas una gran amenaza. Y las vidas que te entreguemos no serán en balde porque servirán para que aprendamos. Lo haremos por los que te llevaste y por los que consiguieron doblegarte a tiempo.

Vengo a decirte todo eso y a darles un último beso al tío Ángel, a Ana, a Juan, a Lorenzo, a tantos... A mamá. Porque sin darse cuenta me enseñaron a echarle coraje a la vida y a ti. Maldito cáncer.

Y te doy con la puerta
Con un golpe me sobra
Ya no quiero que vuelvas
Tu camisa me estorba
Cada vez que me miras
Sólo veo tu sombra

16

Quiero que sepas, mamá, que no ha habido ni un solo día en que no piense en ti. Te echo de menos siempre. Al principio era insoportable. Un dolor profundo que me impedía incluso llorar. No podía creerme que no volvería a verte más. A escuchar tu voz al otro lado del teléfono. «Cuídate, hija. ¿Has cenado? ¿Qué tal te ha ido? Llama cuando llegues. ¿Has felicitado a tu padre? Abrígate la garganta, que por ahí se coge el frío. ¿Te preparo algo calentito para cenar? ¿Qué te pasa que tienes esa voz?»

Eras un radar tan preciso que si la NASA te hubiera conocido te habría llevado a Cabo Cañaveral. Un GPS de mis emociones. Nadie me ha conocido como tú, ni me conocerá. Bueno, ahora, si voy a morir, ya me da igual, pero quería que lo supieras.

Esos días en los que la fiebre me dejaba en cama y sólo tú sabías arroparme. La manta acurrucada en el lugar exacto de mi espalda, el zumo con miel, las gotitas de limón. «Hija, ponte el pañuelo en el cuello, verás qué bien te viene.» Y tuvo que llegar aquella enfermedad fulminante y llevarse mi faro, mi guía, mi paraguas, mi todo.

Es curioso, cuando era pequeña te tenía idealizada. A ti y a papá, claro. Erais mis héroes. Todo lo hacíais bien, incluso lo que hacíais mal. A los quince ya me empezaste a caer algo peor y a tocar las narices un poco con los horarios y la disciplina férrea. A los veinte me parecías insoportable a ratos. A los veinticinco ya no me parecías insoportable. A los treinta volviste a ser mi mejor amiga. Y a los treinta y cinco lloro como cuando era pequeña porque ya no te tengo a mi lado.

¡Si supieras la de noches que he soñado que era mentira! Que no te habías muerto. ¡Cómo te ibas a morir tú, mi madre! Eso les pasa a los demás. Mi madre es mía. Y va a estar conmigo siempre porque su función en la vida es cuidarme. Y entonces cogiste aquella gripe que se complicó en neumonía y que dejó al descubierto un cáncer en el pulmón. Unos pulmones que generosamente cedieron sus deterioradas células, primero a los huesos y después al torrente sanguíneo. Y ya todo estaba hecho y nada a salvo.

Me hubiera gustado que me dijeras si te dolía de verdad. Nunca te quejaste. Las sesiones de quimio te fueron consumiendo, pero nunca tanto como para no tener una sonrisa para nosotros. Para reírte de ti. «¡Menudo tipín se me está quedando, con el hambre que he pasado toda mi vida! Lo malo es que también estoy calva y eso no me favorece tanto. Aun así tengo unos pómulos que ya quisieran muchas, ¿eh?» Y te ponías a preparar la cena. Porque nunca te permitiste apoltronarte ni considerarte una enferma.

Fuiste un ejemplo de lucha, de valentía y de generosidad, mamá. Con nosotros y con papá. No sé qué tendrá tu ADN, pero sólo espero que esa secuencia genética la haya heredado alguien más de la familia y no se detenga aquí.

Vengo a pedirte perdón por mi comportamiento con papá. Sé que tú hubieras querido que él rehiciera su vida, pero es que, mamá, ella no eres tú. Es tan, tan... poca cosa a tu lado. Le quedas grande por todos los sitios y eso, al principio, no pude ni supe perdonárselo. Y no sé a quién tendría que haber elegido, porque tú no eres reemplazable, pero ella no, mamá. Ella no. Me recuerda que ya no estás. No es culpable de nada, pero está ahí porque tú nos dejaste y yo quiero que se muera ella y tú vuelvas. ¿Me oyes? Vuelve, mamá, que yo te sigo esperando.

Con ese grito mudo me quedé dormida tantas noches que cuando abría los ojos no era capaz de discernir la realidad del sueño. Y cada día me despertaba con la esperanza de que me vinieras a ver a la cama. Pero eso nunca ocurrió. Así que me fui de casa e intenté reconstruir mi vida y mis recuerdos.

Hoy vengo a decirte, mamá, que al principio te fallé. Cuando te fuiste, la tristeza era tan grande que ni papá ni yo teníamos fuerza para cuidarnos el uno al otro. Simplemente intentábamos sobrevivir y disimulábamos para no preocupar al otro. Hasta que papá buscó consuelo en otros brazos y yo tuve que salir corriendo porque aquella realidad se me hizo insoportable.

Tengo que confesarte que, después de un año de encuentros fríos con papá y de conversaciones superficiales para evitar saber más de lo que ya intuía sobre su nueva vida, llegó aquella noche en la que —aunque tú no lo sepas— me hablaste en sueños. Una conversación difusa, onírica, que me cambió la relación con él desde aquel mismo día.

—Malena, levanta del suelo que te vas a enfriar. ¿Por qué lloras, cariño? Tu padre ha hecho lo que tenía que hacer: seguir con su vida. No podía quedarse esperándome porque yo no voy a volver.

Mi cuerpo yacía en el suelo de nuestra casa del pueblo. Estaba tumbada con lágrimas en los ojos, hundida porque había visto a mi padre paseando de la mano con una mujer que no eras tú.

—¡Pues que espere! —respondí enfadada mientras tú te inclinabas para pasarme la mano por el pelo como cuando era una niña—. Igual que espero yo, mamá.

—¿Y qué quieres que haga el resto de sus días? ¿Llorar?

Me miraste con cierta ternura y sonreíste ligeramente. Tus ojos brillaban como cuando estabas viva y eso todavía me puso más furiosa.

—Mira, pues no me parece mal plan. Yo también he llorado y sigo llorando por ti.

La rabia no me permitía llorar, ni despertarme ni darme cuenta de que aquello era simplemente un mal sueño.

—Pero, mi niña, ¿piensas que él no? ¿Crees que cada vez que pasa por delante de la tienda donde nos conocimos no se acuerda? ¿Acaso no echa de menos mi compañía? ¿Crees que no ha deseado que vuelva? Pero es un hombre joven, cariño, y ha de seguir con su vida porque de lo contrario habría caído en una depresión. Con esa mujer sale a bailar, a cenar, se entretiene, es una nueva ilusión.

—¡Yo no quiero que se ilusione con nadie más! —Mis lágrimas comenzaron a brotar, se materializaron y dejaron de pertenecer al sueño—. Tampoco quiero que meta en tu cama a otra. ¿No te molesta, mamá?

—Malena, lo que de verdad me duele es que yo ya no pueda estar con él. Me duele que me esté perdiendo cómo mi hija se convierte en una mujer adulta y quizá *en madre en un futuro. Me duele no estar al lado de tu padre para cuidarle cuando enferme. Me duelen muchas cosas, pero no eso que tanto te ofende a ti.*

—Se está acostando con otra mujer, mamá. ¿Cómo puede hacerte eso? —*A esas alturas las lágrimas ya mojaban la almohada y el sueño me mantenía cada vez más angustiada.*

—A mí no me hace nada, cariño. Yo ya no estoy. Sólo quedo en sus recuerdos y con eso me quedo. Y me conformo.

Tus palabras eran un bálsamo, me transmitían paz y me aportaban el sosiego que hacía meses que no lograba alcanzar.

—Yo no se lo perdono, mamá. Lo siento, no puedo.

El orgullo herido de hija seguía dominándome, pero finalmente llegaron aquellas palabras tuyas:

—Lo harás. Le perdonarás. Ve y habla con él.

Y desapareciste para siempre. Nunca más volví a soñar contigo.

Y así, de ese modo, con un sueño irreal que yo misma confeccioné, fue como me inventé la excusa para perdonar a papá. Desde que te fuiste supe que ésa hubiera sido tu voluntad. Tú querías que ambos fuéramos felices tras tu marcha y no te habría importado que el peaje de esa felicidad conllevara que papá rehiciera su vida con otra mujer.

Tú me diste la clave, mamá. Y por eso vengo, ahora que soy yo la que se despide, a agradecértelo. Me mostraste en aquel sueño lo que me habías enseñado a lo largo de mi vida: tu generosidad.

Vengo a decirte adiós, mamá, por si tampoco en la eternidad nos encontramos. Te doy las gracias porque con tu forma de ser me hiciste ser mejor persona.

Si todo tú
Sin sólo yo
Contigo, luz
Sintigo estoy
Volverte a ver
Aguardando estoy
Sin trampa
ni cartón

17

Me dijeron las malas lenguas que ya no sabes a mar. Y me alegré aquel día al enterarme. Quise pensar que era por mí, que mi paso por tu vida había dejado una huella tan imborrable que te había incapacitado para volver a saber a mar. Y amar.

Debo confesarte, Mario, que siempre me gustó más la conquista que el trofeo. El cortejo mejor que el premio. Disfruté más del camino que de la meta porque esa meta era únicamente una delgada línea tras la que no sabía qué encontraría. Llegabas, la atravesabas y, a partir de entonces, todo comenzaba de nuevo, pero podía desvanecerse en cualquier momento.

A mí siempre me gustó la incertidumbre, el filo de la navaja, caminar sobre el alambre. Y en esto, el trayecto era lo emocionante. Luchar por un sueño, caer y levantarte. Tenacidad, perseverancia, ansia por conseguir lo que todavía intuyes y casi rozas con las puntas de los dedos. Porque cuando al fin las yemas acaricien el preciado tesoro, éste habrá empezado a devaluarse como un coche al pisar el asfalto.

A ti te conseguí tras un largo esfuerzo y pensé que, a partir de ese momento, perdería el interés, pero no fue así. Seguramente porque nunca nos tuvimos del todo, ni nos perdimos para siempre. Ojalá hubiéramos permitido que se consumiese la llama. Ojalá la monotonía hubiera hecho mella en nosotros. Ojalá nuestra cuenta no quedara pendiente. Ojalá en nuestro saldo fuese más elevado el haber que el debe. Ojalá la cuenta no nos saliera a pagar, en negativo.

Esta noche cuando te vea
Voy a gritarle al susurro.
Te rozaré con ahínco.
Esta noche
Voy a abrazarme ligera.

Esta noche cuando te vea
Te cabalgaré muy tierna.
Haremos el amor más sucio.
Tu diosa se volverá atea.

Esta noche cuando te vea
Voy a respirar profundo.
Hablaré sin decir nada.
Esta noche, abriré los ojos.
Despertaré, al fin,
Para que no te vayas.

Nunca fuiste para tanto
ni para tampoco

18
MÍA
—

Oye, Male, te conozco como si fueras parte de mi camada y no quiero que te vengas abajo recordando al *putoMariodeloscojones*. Que sé que tú eres mucho de mirar atrás y ahora que seguro estarás haciendo balance de tu vida, de lo bueno y lo malo, no me gustaría que perdieras mucho tiempo pensando en él.

¿Te acuerdas de cuando empecé a tener achaques? Yo siempre he visto poco, lo justito; mirada de corto alcance, podríamos denominar. Era la Rompetechos del barrio. Empecé por no ver, pero aquello fue una tontería al lado de mi sordera. Ya podían lanzarme bocinazos desde los coches o gritarme por la calle, que a mí me daba igual. Yo seguía a mi ritmo porque no me enteraba de nada. Únicamente notaba el tirón que me dabas desde el otro extremo de la correa. «¡Mía, corre! ¡Mía, que viene un coche! ¡Mía, que te pesa el culo!», me gritabas. Durante los últimos años de mi vida me hice una experta en detectar tu timbre de voz. Disponía de una especie de sensor que me permitía estar conectada con el mundo exterior. Y contigo.

Te diré algo, Malenita. Llegar a viejo sólo tiene una cosa buena: que no te has muerto antes. Pero la vejez es una hija de perra de cuidado. Te hiere, te va mermando y, pese a todo, mola conocer la experiencia. Te hace fuerte y sobre todo, al final, no te da tanta pena irte. Casi lo estás deseando.

Lo de ir haciéndote tus necesidades por toda la casa no es plato de buen gusto para nadie, pero ni te imaginas lo reconfortante que es cuando te das cuenta de que tienes a alguien pendiente de ti que lo limpia y te cuida. Y ya no te riñe cuando haces pipí en medio del salón porque te quiere. Y de repente despiertas aún más ternura en esa persona porque eres una anciana. Me encantó sentir aquello a tu lado, Male. Nunca pude agradecértelo lo suficiente. Tus mimos cuando me tuvieron que intervenir después de que me detectasen aquel bulto en las mamas o cuando me operaron para quitarme los ovarios.

Los veterinarios no tienen piedad. No piensan en nuestra dignidad. ¿Recuerdas aquel embudo que me puso en la cabeza para que no me lamiera la herida? ¡Pero si era como un cartucho de churros, pero sin churros, ni porras, ni leches! Muy humillante todo.

No podía dormir por las noches. Temía encontrarme con Lucas durante los breves paseos que me dabas por las tardes. Qué bochorno. Aunque, ahora con la perspectiva que da el tiempo y la madurez que aporta la eternidad, estoy pensando que ante aquella situación lacerante yo apenas tenía margen de maniobra. *Ergo*, no me hubiera podido defender ante sus ataques traseros e irremediablemente habría tenido que caer ante sus encantos. ¡Lucas me hubiera hecho suya sin remedio! ¡Vaya por Dios!, qué mala suerte no haberme topado con él entonces.

La desgracia, como ves, siempre me ha acompañado en esto de las artes amatorias y del fornicio placentero. Sería mi sino, que no minino.

Male, ya ves que sigo desplegando mi humor inteligente por estos lares. Unos chistes malos que sólo tú entenderías. Aquí en la eternidad hay también mucho rancio que no se rinde ante la evidencia del chascarrillo bien tirado. Pero yo tampoco me rindo y sigo insistiendo.

Por eso te repito, una vez más, que él no merece ni ahora ni entonces tanta atención. Tu tiempo es demasiado valioso como para desperdiciarlo en su recuerdo. Pero te conozco, Male, y estoy convencida de que tú seguirás a lo tuyo, atormentándote con Mario. Con lo que pudo ser y no fue.

19

¿Te acuerdas de cuando me decías que me querías? ¿Cuando te quedabas mirándome sin decir nada y tus pensamientos se perdían en la maraña de mi cabello ensortijado tras un rato de pasión? ¿Te acuerdas de cómo me acariciabas la línea del nacimiento del pelo? Y cuando recorrías con tu lengua mis labios. Con un pincel afilado en unos momentos y húmedo y maleable en otros, cuando tu lengua se dejaba ir y me lamía la boca por dentro y por fuera. ¿Te acuerdas de cuando éramos felices, Mario?

Yo sí. Recuerdo aquellos días con nitidez. Aquellos días en los que pensaba que era feliz. Que éramos felices. ¡Qué sabría yo de la felicidad entonces, cuando tu amor era lo único que anotaba en mi balance, en la lista del haber! Con lo abultada que me dejaste la del debe. Y, al marcharte, dejaste un saldo tan negativo como las noches llorando a solas que me provocó tu partida. Aunque en realidad la partida fui yo. Porque quise que te fueras y porque rota me quedé. Tanto tiempo, Mario. Demasiado para lo que mereces. Poco para lo que yo creía que merecías.

—¿Follamos? —me preguntaste tras aquella reconciliación. Y lo hicimos. Y también fallamos. Pero eso vino después.

Tu lengua. Tan carnosa y húmeda por momentos. Tan dura y penetrante en otros.

—Te voy a comer —dijiste mirándome con esa cara que se transfiguraba cuando estabas desnudo ante mí—. ¿Quieres, Malena?

—Lo estoy deseando —te respondí con una voz profunda únicamente interrumpida por jadeos que llamaban a tu puerta y que querían que derrumbaran la mía. Que la echaras abajo. Que me tumbaras y jugaras con tu lengua hasta donde sólo tú parecía que sabías llegar.

Y lo hiciste. Tantas veces que tuve que separarte un instante. Y entonces vi tu mirada encendida, fuera de sí. Y me lancé a tu boca y supe cómo sabía yo misma y eso me excitó aún más.

Me di la vuelta y te ofrecí mi espalda. Y entonces lo dijiste:

—Ahora lo haré con las manos. ¿Quieres, Malena?

—Sí. —Volví a asentir, con mi rostro apoyado en la almohada a la vez que tú te abrías paso entre mis piernas semientornadas. Tus dedos comenzaron a moverse en una meticulosa coreografía que dibujaba círculos, que iba y venía y nunca se olvidaba de nada. Siempre atento a mí mientras me iba encendiendo al notar tu roce. Ambos nos movíamos al son de nuestra melodía perfecta.

—Quiero que me des todo lo que tienes escondido —susurraste con una voz aún más honda.

Y así lo hice. Me entregué por completo hasta que mi cuerpo no pudo más. Y entonces me diste la vuelta y, mirándome a los ojos, me penetraste como un sable. Y el latigazo de nuevo me despertó. Y volví a disfrutar, ahora contigo dentro.

Gracias
a que un día me rompiste
aprendí a remendarme

20
MÍA
—

—¡¡¡¡Quiero que se pare el mundo y que explote en mil mitades!!!! —eso gritaste enfadada, Male, con un semblante desencajado que únicamente dejabas salir cuando habías tenido un disgusto en el trabajo.

«¿Mil? —pensé yo—. Entonces no serían mitades. En todo caso, cada una de las partes sería una milésima parte del planeta. Lo correcto hubiera sido decir "en mil pedazos".»

Como deduje que no te apetecería discutir, ni hablar del matiz lingüístico, hice mutis por el hocico y seguí escuchándote.

—No le deseo nada malo a nadie, pero ojalá a mi jefe le salga un forúnculo en el trasero y no pueda sentarse en un mes. No, mejor, que tenga que sentarse sobre un flotador.

La cosa se iba animando y decidí sentarme a tu lado con las orejas en alerta para demostrarte que todos mis sentidos estaban concentrados en tu discurso.

—¡Y, por si fuera poco, tengo un dolor de ovarios terrible! Y mañana tengo que pasarme por la oficina porque a él no le viene bien ir en sábado y tiene una boda. —Dejaste de lanzar palabras al aire, te giraste y te dirigiste directamente a mí—: ¿Sabes, Mía? Como es sábado y él tiene una vida, pues se va de boda, y como Malena es idiota, pues seguro que no le importa ir el fin de semana a hacer una guardia porque es tonta. Muy tonta y, además, no tiene vida. ¡Pues que se entere el mundo de que tengo vida y una perra! Y mañana había quedado a comer con un chico, ¿me oyes, Mía? ¡Tengo una cita!, y ahora no podré ir.

Yo te escuchaba con mis cinco sentidos caninos.

(Ahora que menciono lo de canino, me viene a la cabeza esa manía que tenéis los humanos de traducir «a la remanguillé» el título de las películas. Unas veces por exceso y otras por defecto. Me acuerdo de *Superagente K9*. ¡Madre mía, criatura, titúlala con gracia: K-Nino. ¡Canino! Olé, ese humor, esas palmas. ¡Pues no! Incluso a Pluto se le habría ocurrido la idea. De verdad que a ratos parecéis gatos por vuestra forma de actuar tan absurda. Casi tan absurda como mi facilidad de perder el hilo de las conversaciones y de saltar de un tema a otro.)

Mientras te escuchaba gritar y blasfemar contra tu jefe, noté algo. De repente sentí algo húmedo en mis posaderas. Me hociqué mis partes, lamí la zona acotada y volví a mi posición inicial.

Bien es cierto que noté un sabor algo metálico, pero no le di mayor importancia puesto que no era la primera vez que lo percibía. Te miré con atención y te cambió el gesto al instante:

—Pero, Mía, ¡si ya eres mujer! —exclamaste feliz.

Yo no me había percatado de que mis bigotes estaban manchados de tinta roja. Por lo visto, a partir de aquel día ya podía tener mi propia camada y, por tanto, tenía que ser responsable de mis actos. ¡Qué crueldad tan grande que no nos permitáis usar el condón canino!

Me diste un abrazo y sentí una especie de rubor desconocido hasta aquel momento. La vida me parecía un lugar hermoso, pero, a la vez, con demasiado sufrimiento. Sólo tenía ganas de enroscarme y de quedarme sola y apartada del mundanal ruido. Y quería tenerte cerca, pero lejos también. Me apetecía que me hablaras, pero también que te callaras. Tú debías elegir el momento adecuado para cada cosa, ¡jopé, que para eso eras mi dueña! Y me apetecía ver a Lassie tomando un bol inmenso de pienso de chocolate.

Ay, no sé, Male. La vida comenzó a ser un poco más complicada desde aquel momento.

21
MÍA
—

—Me he enterado de que lo has dejado con tu novia, Mario. ¿Es cierto?

Esa pregunta directa le lanzaste a Mario por teléfono. Tu voz, Male, sonaba tan frágil que por un segundo pensé que se quebraría.

—¿Cómo te has enterado, Malena?

Yo estaba tumbada en mi cesto junto al sofá y escuchaba a Mario a lo lejos, a través del teléfono. Tenía ese tono de perro apaleado que adoptaba en algunas ocasiones cuando se sentía acorralado.

—¿Estáis juntos o no?

Tú, lejos de resultar amenazante, sonabas algo conmovedora. Como cuando estás esperando que el veterinario te dé el resultado de una prueba y finalmente dice que todo está bien y que no hay que operar. Eso esperabas tú, Male. Pero hubo contusión y fractura. Y todo sin anestesia.

—No… Ya no estoy con ella. Al final lo hablamos y, bueno, en realidad, la decisión fue de ella. Después del verano, las cosas iban cada vez peor y, a la vuelta de vacaciones, decidimos seguir cada uno por nuestro camino.

Algo titubeante, finalmente el *putoMariodeloscojones* fue capaz de hilvanar tres frases sencillas y sacarse aquello como quien se quita una gran losa de encima.

—¿Quién te lo ha dicho, Malena? ¿Cómo te has enterado? —insistió, pero en esta ocasión tampoco encontró respuesta por tu parte.

—Pero, Mario, me dijiste que nunca… Que tus padres… Que no era posible… Que ella sería tu...

Tu voz entrecortada me hizo ponerme aún más en alerta. Me acerqué más al sofá donde permanecías sin apenas moverte con el teléfono apoyado en la cara. Tu hierática postura se fue transformando en un ovillo. Y tú, cada vez más encogida, como tu voz y tu voluntad. Me puse junto a ti y comencé a mover la cola. Sabía que aquello te encantaba porque intuías que estaba de buen humor y eso te hacía feliz. Pero en aquella ocasión ni me miraste. Continuaste con tu discurso desgarrado y, por momentos, humillante.

—Siempre dijiste que no la dejarías, que tu familia no lo aceptaría, que era imposible. Eran muchos años juntos, incluso os habíais planteado casaros y tener un hijo. No la ibas a dejar nunca, eso decías. Y la has dejado, Mario…. Y después de todo, ¿no me lo has dicho?

De tus palabras rezumaba la tristeza al comprobar que, en efecto, *elputoMariodeloscojones* no había dejado a su *noviadetodalavida* por ti. De repente, te diste cuenta de que realmente él nunca había contado contigo en sus planes de futuro, por muy hipotéticos e inalcanzables que fueran. Mario tenía claro que contigo no podía ser. No iba a ser. No quería que fuera. Y aun así, tu ovillo se hizo aún más pequeño, como tu autoestima y la escasa dignidad que no logró sobrevivir a aquello. Y se lo preguntaste:

—¿Vas a venir a buscarme, Mario?

Fue apenas un susurro. Seguramente la pregunta más temerosa que has lanzado nunca a un hombre.

—Ahora no puedo, Malena. Ni contigo ni con nadie.

Eso te dijo rotundo, Male: «Ni contigo ni con nadie». Y a pesar de esa respuesta, no te diste cuenta de que siempre hubo otras opciones además de ti. Que tú nunca fuiste el hall principal, sino una habitación de invitados. Y, en ese momento, te juro Male que me cagué en mi perra vida. Juro que si lo hubiera tenido delante le habría hincado los incisivos. Le habría clavado mis afilados colmillos como alfileres en su trompa, ese detestable hocico suyo por el que siempre salieron más mentiras que verdades. Nunca he odiado tanto a un ser humano como lo odié a él aquel día.

Colgaste el móvil y te quedaste en esa misma posición, pero entonces sí que explotó de lo más profundo de tu ser un grito de desespero. Comenzaste a llorar sin descanso. Desde la muerte de tu madre no te había visto así. Y ni siquiera en aquel momento había notado tanta rabia porque con el *putoMariodeloscojones* estabas muy enfadada. Y también contigo misma.

Me subí a tu regazo y estuve lamiéndote las lágrimas mientras continuaban brotando de unos ojos cada vez más inflamados. Estabas rota, destrozada, abatida. Pero no estabas sola, Male. Siempre estuvimos juntas.

Por eso ahora debes ser fuerte y recordar todos esos momentos en los que sacamos fuerzas de la nada para continuar caminando. Sigues sin estar sola, incluso ahora en tu estado, yo sigo a tu lado enroscada en tu regazo, sintiendo tu ligera respiración, lamiéndote la mano intubada. ¿Me notas, Malenita?

Y, mientras, fuera de esta fría sala de la uci, donde el tiempo es escaso para compartir y se establecen turnos rígidos como los horarios de un penal, está la gente que te quiere. Los que, si te vas, sentirán con tu marcha el mismo impacto brutal que tú sufriste en el maldito accidente de coche.

22

«Estoy en la cama, Vega, paralizada.» Con ese mensaje te desperté aquel 27 de febrero. Era domingo. Tú habías tenido trabajo ese fin de semana. Tan pronto como me leíste, mis palabras de auxilio encontraron tu consuelo. «Salgo para tu casa, tranquila», me calmaste con aquellas cinco palabras y con la confianza de que en breve estaría entre tus brazos para sentir tu cobijo, una vez más.

Te abrí la puerta descalza, semidesnuda, con una camiseta y las braguitas de encaje negro que con tanto desespero me había quitado Mario unas horas antes. En mi rostro, las huellas palpables de la contienda. Me había lavado la cara, pero mis ojos seguían emborronados con los restos de la máscara de pestañas fundidos con las lágrimas que vinieron tras el fatal desenlace.

Fue mala idea decirle que viniera a casa. Que celebráramos con una romántica velada nuestro enésimo adiós. El vino, el *foie*, el tartar de atún, el postre de chocolate, el licor para endulzar. Nada de aquello podía ser suficiente si el final estaba escrito desde el primer día que nos vimos.

Tras la cena llegaron los besos cargados de alcohol, las miradas revestidas de melancolía y los roces trufados con la pasión arrebatadora de las despedidas. Me abracé a su amplio torso, lo rodeé con mis brazos y piernas y, cuando lo tuve envuelto en mí, comencé a llorar.

—Vamos a intentarlo en serio. Una vez más, Eme. La última. La verdadera.

Por primera vez desde que le conocía, el hombre de hielo no pudo contenerse y dejó salir un pequeño suspiro. Sus ojos se humedecieron, me miró fijamente y dijo:

—Sabes que no puede ser. No funcionaría. Esto ha sido un sueño. Lo hemos disfrutado, pero no puede ir más allá.

—Pero ¿por qué? Yo estoy dispuesta a intentarlo.

—Sabes que no puede ser, Malena. Tú misma me lo has reprochado mil veces: soy incapaz de hacerte feliz.

Y así nos quedamos abrazados dos horas. Ciento veinte minutos interrumpidos por caricias, miradas y besos húmedos, como nuestro amor recalentado. Recorrió con sus dedos mi silueta entera. Era como si quisiera memorizarla para cuando ya no pudiera verla más y tuviera que conformarse con aquello.

Acarició mi rostro, las cejas, los párpados y las pestañas, la nariz, el cabello. Recorrió suavemente mi boca entreabierta, descendió por el cuello y la nuca, el escote, mi pecho derecho primero y el izquierdo después. Se detuvo en ellos un instante más y prosiguió su camino rumbo al ombligo. Adivinó cada una de mis costillas hasta llegar a las caderas. Saludó a su aliado, su compañero de tantas contiendas, y avanzó por las ingles, dibujando a su paso las rodillas hasta llegar a los pies.

Volvió a abrazarme y cuando lo miré comprobé que estaba llorando. Se levantó, me dio un último beso en los labios, secó con su lengua las lágrimas que también cubrían mi cara y me dio las llaves que un par de años antes le había entregado.

—Nunca pensé que me costaría tanto devolvértelas, Malena. Cuídate mucho.

Mario se marchó aquel día y nunca más volvió a pisar aquella casa que, a ratos, compruebo que sigue en ruinas.

Cuando se cerró la puerta caí desplomada en la cama y no pude moverme hasta que te envié aquel mensaje de socorro por la mañana.

Mario nunca supo que pasé la noche en vela, ni que tuviste que meterme en la ducha para que reaccionara. Él no me vio encogida, en cuclillas en la bañera llorando como una niña. Nunca le conté que me lavaste el pelo con el mimo de una madre y sin abrir la boca, sin reproches, ni profecías cumplidas. Él no tuvo que ayudarme a vestirme, ni me hizo un café mientras yo permanecía ausente sentada en un taburete de la cocina. Sin dejar de llorar ni encontrar consuelo.

Mario únicamente fue consciente de que ya no le volví a escribir. Durante un año cumplí mi condena y guardé su ausencia como si de una prisión se tratara. En el fondo, para mí fue una cadena perpetua. Nada de fotos, ni canciones, ni mensajes, ni confesiones. El silencio, de puertas hacia fuera.

Él no fue consciente de todo aquello, pero yo sí, Vega. Y te lo agradeceré eternamente. Por rescatarme de entre los escombros en tantas ocasiones y ayudarme en mi reconstrucción.

Los días que siguieron a aquél no resultaron tan tristes como anticipaba la escena aquella mañana de domingo. Recuerdo que me entregaste una pastilla para que descansara esa noche y lo cierto es que me hizo un efecto inmediato.

Aquella semana te instalaste en mi casa y me cuidaste hasta que conseguí respirar y salir a flote. Los dos primeros días transcurrieron apenas sin hablar. El llanto me sorprendía de repente y cada poco necesitaba desahogarme para después continuar con mis jornadas de recogimiento voluntario.

Me acompañaste en el silencio sin afearme la conducta a pesar del esfuerzo que hacías por animarme. Salimos alguna noche a cenar fuera. Me ofrecías un pañuelo si necesitaba secarme las lágrimas o me servías un vino si lo que demandaba era un trago. Todo fácil. Todo bien.

Hiciste siempre lo que hacen los buenos amigos: estar. Te agradezco todo lo que hiciste y lo que no. Todo lo que me dijiste y cuanto callaste. Esos silencios cómplices testigos de tantos errores que nos empujaron a ser más fuertes.

Aquella ruptura cerró una etapa y abrió una temporada de mi vida en la que Madrid, sus calles, los bares, los cines, mi casa y la tuya eran tú, Vega. Y todavía hoy siguen siendo tú. No hacía planes sin contar contigo. Amoldaba mis vacaciones a las tuyas. Te escribía, me llamabas, quedábamos, reíamos y llorábamos. Y todo eso te lo debo a ti.

Contigo conocí el restaurante más innovador de Madrid y me comí, sentada en un portal, un helado a tu lado. Contigo viajé a San Sebastián y nos quedamos dormidas en el hotel y no llegamos a tiempo de acudir a aquel concierto por el que otros hubieran matado.

Contigo reí, lloré, me sinceré, volví a ser yo después de tanto tiempo a oscuras. Contigo aproveché todas las situaciones, las idas y las venidas, las entradas y las salidas para disfrutar y compartir nuestro tiempo y nuestras confidencias. Contigo fui feliz, Vega.

Vengo a recordártelo porque en realidad nadie sabe que está atravesando un momento de felicidad mientras lo vive. Nosotras anduvimos perdidas, nos encontramos a nosotras mismas y la una a la otra. Sabíamos que esa intensidad sería temporal, pero aun así no quisimos perdérnoslo. Y así estuvimos hasta que nos llegaron otros planes, otras aventuras, otros amores y nuestras vías se separaron, aunque ambas sabemos que siempre tendremos aquella estación de paso en nuestros recuerdos.

A tu ida y a mi vuelta
Al llegarte y descubrir
Cuando el futuro era incierto
Y el porvenir, por venir

23
MÍA
—

Llevas mucho rato sin parpadear, Male. Y me preocupo. ¿No te habrás dormido? Tienes que despertarte y seguir respirando. Y comer. Tendrás que ingerir algo. Y bombea ese corazón con fuerza, ¡que se note que estás viva! Los médicos no dejan de entrar y salir, pero yo no veo que reacciones demasiado a sus estímulos. Seguro que si te hablo del mar consigo que sonrías.

Lo que más echo de menos es la playa en invierno. Qué gozada arrastrar las patas por la orilla dejando un reguero de huellas, ¿eh, Malenita? Correr sin miedo a que me atropelle un coche, mojarme el hocico en el agua, hacer la croqueta, sacudirme la arena y ponerlo todo perdido a mi alrededor.

Nunca olvidaré las vacaciones que pasamos juntas sin más compañía que el sol de marzo y los jubilados extranjeros. Acababas de dejarlo con Mario y andabas arrastrándote por las esquinas como un pequinés llorica. Vega te ofreció la casa de veraneo de sus padres y nos fuimos las dos a la costa a pasar unos días inolvidables.

Lo mejor de vivir es cuando te comportas como si estuvieras muerto pero no lo estás. Es curioso, pero los perros sabemos hacerlo en vida, y los humanos sois en eso también muy torpes. Me resulta gracioso cuando decís que hace un día de perros cuando hace mal tiempo. ¡Pero, jopé, si es lo mejor que puede pasar! Todo el día en casa tirado con una manta.

Aquellos días de invierno que pasamos cerca del mar nos pegamos la vida padre. No dimos palo al agua, perreamos de lo lindo, lo más parecido a lo que hago ahora, Male, pero entonces podía disfrutar de los placeres de la existencia.

A las 12 de la mañana bajábamos a desayunar al único bar que había abierto en el pueblo. Tú tomabas café con leche y tostada con aceite. Yo cogía al vuelo los trocitos de pan que lanzabas ante mi desespero. Estaba canina. De toda la vida, la playa me ha bajado la tensión y me aplatanaba aún más. Necesitaba gasolina y tú me lanzabas el combustible que precisaba para no desfallecer.

La arena estaba mullida. La máquina que la remueve pasaba temprano y, a diferencia de la temporada estival, ahora nadie la pisaba ni borraba los

surcos que había dejado a su paso. Nosotras caminá-
bamos por el paseo de baldosas que bordeaba la playa y nos cruzábamos a las mismas personas y los mismos perros cada día. Los dos abuelos en las bicis, el
padre con el carrito de bebé y el bulldog, las dos señoras que tenían que recoger a los nietos del cole y
los guiris tumbados en la playa.

Hay que tener unos cuartos traseros muy gordos
para bañarse en esa época del año, por muy sueco
que seas. Dos niñas rubísimas vinieron a saludarme
mientras tú te quedaste en la plataforma de madera
que a modo de camino dibujaba un sendero hasta casi
alcanzar la orilla. ¡No querías llenarte los pies de arena! Cuando te recuperes, Male, tienes una misión:
descalzarte en la playa y llenarte de tierra hasta arriba.

Los padres de las pequeñas estaban tumbados en
la arena. Llevaban traje de baño. ¡Las personas os
vestís para meteros en el mar! Sois muy graciosos,
Male. Os ponéis unas fundas que os tapan sólo ciertas partes del cuerpo. Es curioso porque cubrís algunas zonas con pelo y otras las dejáis al aire. En fin,
humanos.

Los suecos me miraban sonrientes al verme jugar
con sus hijas. Menos mal, algunos seres arrugan el
morro cuando me ven pisar la arena. ¿Quién dijo
que la playa era vuestra en exclusividad? ¡Los perros
también tenemos derecho a disfrutar del mar!

Un poco más allá, un joven acompañaba en su paseo a una mujer mayor que caminaba con dificultad. Se dirigían a buscar a un tercer abuelo que estaba sentado en una silleta de playa junto a dos andadores ortopédicos. Deduje que el chaval estaba a sueldo y que se dedicaba a cuidar de ellos. Se reían y yo con ellos.

Por la tarde se repetía el ritual de la caminata, pero terminábamos en un espigón viendo cómo rompía el escaso oleaje en las rocas. Algún cangrejo salía a nuestro encuentro pero lo dejábamos ir. Un rato más tarde, llegaba el señor de pelo blanco con dos cañas de pescar y una nevera. Casi nadie hablaba y el que lo hacía se limitaba a saludar. A veces los humanos moláis.

Estabas desolada y muda por Mario. La escasa energía que tenías la dedicabas a otros menesteres. A respirar, por ejemplo. Me acariciabas cada vez que me acercaba a ti y te sorprendía llorando. Yo corría por la playa y tú llorabas en la arena. Era un plan perfecto. Al menos no teníamos nada mejor que hacer.

Ahora que tú no me hablas, Male, ahora que no contestas, te digo que eso que te ha pasado no es nada. Que lo vas a superar, ya verás. Ahora soy yo la que llora. Y tú volverás a correr. Volverás a la playa en invierno, donde tan bien lo pasamos en silencio.

24

Construí castillos en el aire tan altos
que ahora me conformo con sus ruinas

Y entonces llegó aquel día en el que creí que estaba
curada y quise volver a hablar contigo, Mario. Una
vez más. Ignoro el motivo, desconozco adónde quería llegar. La conclusión fue clara, contundente, sin
matices. Te lancé una pregunta y me confirmaste lo
que yo ya temía.

—Salgo con alguien, sí. No es que tenga pareja
en serio ni nada de eso. Estoy muy feliz viviendo
solo. Ella sí que querría formar una familia, niños,
ya sabes, pero yo no lo veo.

Y me vi allí escuchándote hablar de una descono-
cida, una cualquiera, de otra mujer que no era yo.
Porque nunca la has llamado por su nombre ante

mí, como si así no existiera, como si eso te comprometiera menos. Y, a pesar de todo, me sentí tan pequeña, tan por debajo de mi autoestima, que ni siquiera me importó ya desgarrarme con una última cuestión.

—¿Estás enamorado? —te pregunté con una voz tan temblorosa como mi ánimo.

—¿Por qué me preguntas eso, Malena? —Hiciste una breve parada, miraste al suelo un momento y volviste a dirigirte a mí—: ¿De qué te sirve?

—Quiero saberlo. Parece que has tenido más suerte que yo. Has encontrado a alguien especial. Te has vuelto a enamorar.

Mi discurso suicida iba abocado a darse de bruces contra un muro de cemento tan resistente y sólido como mi insistencia.

—Bueno, enamorarse no es tan fácil. Me he acostumbrado a estar así. Vivo mi vida más o menos libre. Y estoy bien.

Tus palabras, como siempre, buscaban el refugio de la ausencia de compromiso. Tanto conmigo como con cualquier otra cosa que te pudiera causar algún problema futuro.

—Pero, entonces, ¿no estás con alguien?

Ese alguien la rebajaba a ella, quien fuera, a la categoría que yo quería otorgarle. La sin nombre. La innombrable.

—Quedo con alguien, sí. No pensé que fuera capaz en este momento, pero al final ella insistió y, como a todo, le vas cogiendo aprecio. Y poco más, así estamos.

Con esas palabras me di cuenta de lo que eres y lo que siempre has sido. De tu incapacidad para ser generoso en el amor.

Me pregunté por qué querría saber yo todo aquello. Y no encontré respuesta. Supongo que cuando uno ha estado tan enamorado siempre queda un remanente irracional de cariño tan fuerte como de rabia y dolor por la pérdida. La cuestión es que tus palabras tan frías a la hora de hablar de tus afectos me hicieron caer en la cuenta de que, más allá de que yo no fuese la persona adecuada a la que debieras confesar tus nuevas relaciones, no creo que lo hicieras por protegerme a mí de ese dolor, sino a ti mismo.

Y me acordé de cuando, tras mi enésima declaración de amor, me escribiste aquel mensaje: «Se te quiere, Malena».

Quizá fuera aquélla la expresión más rácana del amor roñoso que me han lanzado jamás. Tan impersonal, tan falta de emociones, de implicación, de todo.

«Se te quiere» es como comerse un helado después de que esté un rato fuera del congelador. Con el placer que habría proporcionado un rato antes, de otra manera, a la temperatura exacta, con sus texturas y sabores perfectamente combinados.

«Se te quiere» es el amor de garrafón, la marca blanca del cariño. «Se te quiere» no habría que decirlo nunca. A nadie. Y nunca nadie debería conformarse con esa clase de amor tan poco espléndido.

Si hubiera sabido que la espera era el fin,
no habría desesperado todo este tiempo

Nunca supe exactamente cuánto tiempo llevabas saliendo con quienquiera que quedaras. Probablemente desde que nosotros dejamos de vernos. Es posible que incluso antes. Es posible que también en esta ocasión nos solaparas. Ya ves, Mario, tanta solapa para tan poco traje al final.

¿Cómo podía ser cierto que estuvieras con alguien que no fuera yo? ¿Acaso no era yo a quien preferías? ¿Cómo podía ser cierto que no quisieras estar conmigo?

Con la confianza que yo te había regalado fuiste a parar a los brazos de aquella mujer tan poco especial. No estaba a tu altura, pensaba yo entonces cuando me mortificaba por no tenerte a mi lado. A tu altura, Mario, como si tú alguna vez hubieras sido el Empire State.

Vengo a pedirte perdón por si en algún momento sobrepasé la línea roja de la confianza que ya no debíamos mantener. Y si alguna vez llegaste a pensar que todo aquello fue por rencor, vengo a aclarártelo, Mario: nunca mis comentarios quisieron herirte, nunca te lancé dardos envenenados en momentos de flaqueza, nunca te dije todo lo que en realidad sentía. Tampoco te expliqué su comportamiento vulgar aquel día que me la presentaron. No te conté lo impertinente que estuvo, no te hablé de sus miradas de desdén, de su ausencia de solidaridad femenina. No te lo dije porque seguramente tú no habrías querido verlo.

Y en este momento de realidad agonizante que me lleva al recuerdo absurdo, me doy cuenta de que siempre te he eximido a ti de cualquier responsabilidad. En mi cabeza eran ellas las culpables de haberte embaucado. Ellas eran las dueñas de las mentiras, las responsables de tu deterioro, la sombra de tu delgada silueta. Y, por una vez, aparto el disfraz y te veo con tanta nitidez que me resulta increíble que antes no te hubiera reconocido así.

Eso vengo a decirte, Mario. Vengo a contarte que tienes lo que mereces, que la mediocridad, en todo caso, era la tuya. Nadie más que tú ha sido culpable de tus elecciones. Siempre has sido cobarde, siempre una vida de mentira, siempre verdades a medias. Nunca un amor generoso.

Ella, quienquiera que sea, o la anterior o la que haya de venir, no es la causante de que lo nuestro no funcionara. Ella se conforma con lo que tú le das. Ella, seguramente, acepta que mires por encima, que camines levitando, que nunca entre nadie en tu caparazón. Aunque ella crea que sí. Nosotros sabemos que no.

¿De qué me sirve esta confesión? De poco, estarás pensando, pero es que me estoy desangrando. Y esta vez es literal.

Si hoy muero, Mario, quiero que sepas que te perdono aunque no olvido el dolor.

Quiero
que me perdones
por no olvidarlo

Quiero que sepas que todo lo que di fue sincero. Que te quise con locura. Que aquello probablemente no fue saludable. Y por eso tardó en sanar. Que no me conformo con lo que me diste. Que recuerdo con cariño lo que sí entregaste. Que valoro tus detalles aunque al final sonaran a reproche por insuficientes.

Que no me perdono haberme equivocado contigo, que no te perdono que no hubieras luchado por mí. Que no puedo desearte suerte con nadie porque me recuerda que ese alguien no soy yo. Que no quiero ser yo la que ocupe ese hueco de nadie. Que entiendo que no comprendas esto que vengo a decirte ahora que puede que vaya a morir.

Que me hubiera gustado que me dijeras que me querrías para el resto de mi vida. Que te hubiera querido el resto de la mía.

Que nunca entendí los finales sin muerte y en nuestro desenlace tuve que matar el amor.

Que mis manos te buscaron durante años sin hacer caso a mi cabeza. Que mi cabeza se opuso al corazón y lo ató de pies y manos.

Que te quise
vengo a decirte
Que me quieras
sin que suene a súplica

Quiéreme
sólo si quieres
aunque ya no vaya a estar

25

Todavía conservo las zapatillas de correr que me compré contigo, Vega. No teníamos pareja estable y decidimos irnos de viaje y poner un océano de por medio para cambiar de aires y broncearnos cuando en España sucumbían a una tercera ola de frío en poco más de un mes.

Elegimos Florida. Tres factores nos ayudaron en nuestra elección: el clima fantástico en aquella época del año, nuestras enormes ganas de vivir una *road movie* a lo Thelma y Louise con un final menos trágico y, seguramente la razón de peso, la oferta irrechazable de aquel hotel con vistas al Atlántico que nos salió a tan buen precio.

Recuerdo que, de manera consciente, al preparar el equipaje había dejado fuera de la maleta la ropa de deporte. No estaba en mis planes mover el cuerpo salvo para desplazarme de la tumbona a la playa. Confieso que, en algún momento, también había contemplado otros movimientos que llevaran consigo placeres carnales de la mano de algún joven de aspecto saludable. Pero para eso tampoco necesitaba llevar ropa de deporte. Ni de ningún tipo.

Finalmente, la realidad se impuso a su antojo —como siempre hace— y, a falta de samba sexual, decidí comprarme un kit de supervivencia deportiva para poder salir a correr y dar rienda suelta a las endorfinas que durante las noches no habíamos liberado.

Caminamos hasta un centro comercial donde nos dimos cuenta de que la globalización nos convierte a todos en clones universales. Es curioso comprobar al entrar en una de esas enormes moles cómo el dinero nos homogeneiza en todo el mundo. La misma forma de vestir, de comer, de consumir.

Aquella tienda especializada en artículos deportivos podría haber estado ubicada en Ciudad de México, Río de Janeiro, Milán o Barcelona, daba igual. Al entrar, todo te resulta familiar, como si ya hubieras estado allí antes. Y es posible que así sea, pero en Madrid o Lisboa. Es un pequeño universo atemperado con un aire acondicionado en niveles de criogenización humana y salpicado de cadenas de tiendas que nos convierten en replicantes planetarios.

—*Hello, good morning.* Quería unas zapatillas para correr. *To run.*

Me señalé los pies por si, en un hipotético caso, el joven no hubiera entendido mi alocución en un perfecto español e inglés con acento sureño. El dependiente me miró fijamente a los ojos y esbozó una leve sonrisa. Imagino que fue una forma de ganar tiempo.

—Son *per me. To run, for footing.* Me gustan éstas. ¿Tiene *my size?* —En vista de que aquel joven recién salido del Bronx no se animaba a hablar, decidí continuar yo. En esta ocasión introduciendo algo de italiano (ya que estábamos en Miami) y dando lo mejor de mí con un perfecto inglés de *Hello, I'm muzzy.* Todo muy cuerdo.

El chico frunció el ceño un instante intentando asimilar mi discurso, se puso de rodillas, me levantó un pie, cogió mi chancla y anotó el número en una minitableta. Entendí su *thanks* y desapareció.

A los tres minutos estaba de vuelta con mis zapatillas en la mano. Me las probé, me terminé de enamorar de ellas y entonces, cuando ya pensaba que la gestión estaba resuelta, cuando me imaginaba trotando por el paseo marítimo sobre aquellas lanzaderas con cámaras de aire y amortiguadores infalibles, entonces noté «ESO». Era justo en la parte interna del talón. Había una zona algo más rígida, sin cámara de aire ni amortiguación supersónica.

—*Is everything ok?* —me preguntó amablemente Scott, que así se llamaba el dependiente, según leí en su placa.

—Pues no sé... Noto algo. *Something hard here.*

Seguí demostrándole mis dotes políglotas a Scott hasta que me hizo aquella inesperada pregunta que me dejó sin habla.

—*Are you pronator?*

La verdad es que, sin entenderle del todo, no me parecía que tuviéramos la confianza suficiente para que fuera tan directo.

—No sé... *Don't know, Scott, don't know.*

Le contesté entre tímida y algo molesta por no tener ni la menor idea de lo que me hablaba. Al fin Scott, el chico de mis zapatillas, se apiadó de mí y lo intentó con su español con aire cubano.

—Los *runners* son pronadores, supinadores o neutro. ¿Qué es lo que tú eres?

Me sonrió y sucumbí a su pregunta de la manera más sincera que pude.

—Yo soy regular, muy normal, Scott. Salgo como mucho un par de veces por semana. *Not very often.* Del montón.

La conversación fue degenerando en frases absurdas en distintos idiomas hasta que finalmente me compré aquellas zapatillas porque me gustaba la combinación de colores y me dio igual si era pronadora o supinadora.

A esas alturas, Vega, tú te habías tenido que sentar en un banco del ataque de risa que te había dado. Nunca olvidaré las lágrimas en tus ojos centelleantes, la cara desencajada de pura felicidad al ver cómo tu mejor amiga hacía el ridículo tratando de desvelar si apoyaba el talón hacia dentro o hacia fuera.

Aquella escena se grabó en mi memoria y no ha habido día que la recuerde sin que me ría como entonces. La situación cómica ha formado parte de nuestros chascarrillos hasta hoy que vuelvo para decirte algo.

Vengo a despedirme, Vega, por si me voy para siempre. Quería darte las gracias por tantos buenos ratos que me regalaste. Desde aquel ataque de risa absurdo en Miami a tus manos secando las lágrimas que resbalaban por mi cara y terminaron en tu hombro el día que te confesé que había dejado a Mario. Una vez más.

Querida Malena:

¿Qué ocurre cuando sangras?

Sucede que la piel necesita un tiempo para sanar.

¿Qué ocurre cuando te haces un rasguño?

Sucede que vuelves a sangrar.

¿Qué ocurre si continúas rasgándote la herida?

Sucede que aparece una cicatriz.

¿Cuánto tiempo dura la cicatriz?

Depende de la herida. Cada persona tiene un proceso diferente de curación.

¿Es normal seguir rascándose?

Sí, Malena, porque engancha.

Tómate tu tiempo, amiga. Todos en algún momento hemos pasado por lo mismo y al final encontramos la salida.

La cicatriz permanecerá ahí para siempre y representará un periodo de tu vida que te habrá hecho conocerte como nunca antes.

Y así, sin darte cuenta, los viejos recuerdos serán reemplazados por otros nuevos.

¿Pasos de bebé? Es posible. Pero unos pasos cruciales para el futuro.

Te quiero mucho, Malena.
Vega.

Recibí estas palabras en una nota manuscrita que lanzaste bajo la puerta al salir de mi casa tras aquellos días de compañía silenciosa en mi duelo emocional. Como un médico ante su paciente, supiste detectar mi dolencia y me ayudaste en mi recuperación. Con tus cuidados y con aquella carta de metáforas perfectas.

Fue lógico y necesario sangrar por aquella herida. El proceso de cicatrización resultó ser largo y mi piel muy fina. No estaba curtida la fina epidermis, ni acostumbrada a heridas tan profundas. Hasta entonces habían sido arañazos, heridas superficiales. En aquella ocasión necesité puntos de sutura y muchas atenciones.

Tus frases escritas a mano, la fecha en la parte superior de una cuartilla de un viejo cuaderno que yo aún conservaba en un cajón del salón donde habíamos pasado tantas horas aquellos días, el bolígrafo negro que descansaba junto al teléfono. Todo estaba allí reflejado en aquellas letras.

En cuanto leí aquella carta te envié un mensaje al móvil agradeciéndote tus palabras:

Gracias por cuidarme tanto, Vega. Por ser mi enfermera. Por lavarme el pelo. Eres un regalo, demasiado para mí.

Fui breve, quizá demasiado, Vega, y te pido perdón por ello, pero en aquellos días no era capaz de armar un argumento de más de dos líneas. Mi mente aturdida apenas conseguía despejarse y cuando tenía un momento de lucidez las cosas empeoraban porque era consciente de la realidad.

Le di a enviar el escueto mensaje. Y pronto te observé en línea. Y allí llegó tu «escribiendo...».

Después de unos minutos recibí tu respuesta. Siempre a la altura, como tú:

¿Demasiado para ti?

Demasiado eres tú, Malena.

Demasiado sensible para no recibir lo que das.

Demasiado inteligente para negarte a lo desconocido.

Demasiado pasional para no caer en tentaciones.

Demasiado frágil para no romperte.

Demasiado especial para lo corriente.

Demasiado mujer para la mayoría de los hombres.

Eres demasiado en tantas cosas que, en ocasiones, te desbordarás a ti misma. Y aun así merecerá la pena estar llena de ti.

Una mujer fascinante, enigmática, hecha a ti misma, experimentada pero inocente, seductora pero naíf. Eres muchas cosas. Eres compleja y especial, no rara. En tu realidad poliédrica el blanco no es sinónimo de pureza, ni el negro es la oscuridad absoluta. Todo esconde matices que hay que entender y experimentar. Eres una niña divertida a ratos, una joven con ilusiones e inquietudes otras veces y una mujer madura e independiente la mayor parte del tiempo. Eres maravillosa, capaz de enamorar a cualquiera. Créetelo y utilízalo a tu favor.

Malena, una esencia tan exquisita en un recipiente tan delicado no puede llevar etiquetas. No te las pongas tú. Eres un perfume único.

Tiritas
que curan la herida
Puente que cobija mi río
Tiritas
si estás a mi lado
Tiritas
Lo sé, lo siento
y no era el frío

26
MÍA
—

¿Qué tal te encuentras? Discúlpame, pero he tenido que ausentarme un segundo —son cosas de la eternidad—. Entiéndelo como si hubiera tenido que ir al baño o algo parecido.

Veo que sigues igual de lo tuyo, Male, así que vengo a hablarte de cosas serias. Ahora que sale el tema de ir al lavabo, ¿tú has visto alguna vez a un perro que haga ruido al orinar? ¿Qué os pasa a los humanos? ¡Salpicáis y hacéis ruidos cuando miccionáis, jopé! Por no hablar de las ventosidades. ¿A cuento de qué descargáis en la atmósfera vuestros enormes cuerpos y os dejáis caer esos aires pestilentes? Por si no fuera suficiente tortura, los adornáis con un efecto sonoro. ¿A qué mente brillante se le ocurrió eso? Estoy convencida de que incluso el mismísimo Homer se suelta las pedorretas en *mute*.

Nosotros, los perros, a pesar de ser una raza superior a la humana, también hacemos nuestras concesiones y liberamos metano, ¡pero tenemos más clase, caramba! Únicamente nos dejamos caer *huerfanitos*, esos pedetes sin padre ni madre conocidos. Sin huella, ni marca, ni rastro. Es la bomba perfecta: fétida pero silenciosa. Un arma letal.

Pero sigamos hablando de vosotros. Hay cosas que desde el «más allá» (si miramos desde tu lado, el «más acá» desde donde estoy yo) no logro entender. Ni siquiera la perspectiva que me otorga el haber abandonado la vida ha conseguido que entienda algunas incógnitas del ser humano que todavía hoy sacuden mi mente. ¿Por qué se os arrugan las manos cuando estáis un rato en la piscina? No hay quien os entienda. ¿Has visto alguna vez a un perro arrugado al estar en remojo? Salvo el shar-pei, no conozco caso. Es como si os deshinchasen, como si os quedarais sin aire, a medio gas. Me fascináis, Malenita.

A vuestro favor tengo que decir que sois capaces de hacer música. Tocáis instrumentos. El piano, por ejemplo. Me parece complicadísimo. Cada mano independiente de la otra, como si tocasen piezas distintas. Y, por si fuera poco, os colocan menos teclas negras que blancas. ¡Eso es para fastidiar! Estoy convencida.

Siempre me he imaginado que las fichas negras eran las elegidas al salvarse en el juego de las sillas. Las imaginaba a todas bailando. Después, las descartadas se sentaban en un lateral y contemplaban con gran entusiasmo cómo sus hermanas negras y las privilegiadas blancas (ésas sí que jugaban todas) las deleitaban con su música.

En cualquier caso, lo más curioso de todo es que, por cada ser humano que toca bien el piano, encontramos a cien mil que atormentan a sus familias y mascotas con el *Para Elisa* de Beethoven. Si sólo se saben tres notas, por Dios. De verdad, Male, ¡y luego se quejan de que ladremos a los vecinos!

Pero, en fin, ¡qué vamos a esperar de una especie que se pone contenta cuando su médico le regala el palo con el que le ha hurgado en la garganta! Si algún día, en otra vida, me pongo feliz por eso, dame un golpe en la nuca y termina con mi sufrimiento rápido.

Por todas esas cuestiones —y algunas más que te seguiré exponiendo para entretenerte en este letargo tuyo— podemos calificar que los humanos sois, *grosso modo*, idiotas.

Lo son todos, Male, menos tú. Ahora bien, hay categorías. Y ya que me preguntas, te diré que Mario figura en lo más alto de la tabla.

Recuerdo aquella vez que se puso a grabar con el móvil mientras retozabais en el salón. Al principio no te diste cuenta, pero pronto escuchaste un pequeño sonido y te percataste de que una luz roja estaba encendida. Eran otros tiempos y los teléfonos eran menos silenciosos que los de ahora.

Estabas tan enamorada —eso decías tú: ciega, diría yo— que no podías creerte que estuviera robándote de aquella forma tu intimidad. Eran tus sonidos, tus jadeos, tus comentarios los que quedaban guardados allí. También los suyos, pero él había elegido aquello de manera voluntaria y le daría el uso que él tuviera a bien.

Aquella vez lo dejaste pasar, pero hubo una segunda. Se lo contaste a Vega días después por teléfono. Tú tenías invitados en casa y quedasteis en el apartamento de un amigo de Mario que estaba de viaje aquella semana. Por aquel entonces, él mantenía la relación con su novia y teníais que buscar escondites para no ser vistos. Ni contigo ni con ninguna otra.

Dejaste el coche en un aparcamiento público y fuiste caminando hasta aquel edificio con pinta de albergar oficinas. Al entrar, sentiste vergüenza y no quisiste preguntar al portero. Te fuiste directa a la zona de ascensores y te sometiste al escarnio de dejarte pisotear tu amor propio por aquel polvo rápido en un piso desangelado. Al terminar, te fuiste a la ducha y de nuevo te alertó el piloto rojo encendido del móvil.

Días después, de nuevo en una cena en tu casa con Mario y aconsejada por Vega, sacaste el tema a relucir. Yo estaba presente, tumbada en mi casita de esponja, pero levanté las orejas. Él negó que hubiera grabado nada. Simplemente sonrió y continuó con la cena. Cuando volviste a indagar y le hiciste alguna pregunta incómoda más, se puso a la defensiva, como siempre.

—Claro que no lo tengo grabado. Además, si no se veía nada.

Aquella justificación dejó en evidencia que te estaba mintiendo. En aquel momento, antes, y quién sabe cuántas veces después.

Tú no quisiste escuchar lo que en realidad te estaba confirmando con sus propias palabras y proseguiste con la cena como si no hubiera pasado nada.

27
MÍA
—

Nunca aceptaste que Mario no volviera, Male. Y menos aún que se fuera con esa perra. «Tan vulgar, tan poca cosa», decías en voz alta alguna vez mientras deambulabas por casa. Ojalá se hubiera fijado en alguien brillante, ¿verdad? Una mujer hermosa, rápida, aguda, perspicaz, con sentido del humor. Alguien que hubiera estado a tu altura, ¿no?

Ay, Malenita, lo que no llegaste a entender es que quizá Mario nunca quiso tener a alguien mejor que él a su lado. Eso es todo. Así de simple. Como lo es él.

Así que deja de martirizarte por el hecho de que ella sea una perrilla del montón, una chucha bastante corriente, porque es lo que él quiere. Busca estar rodeado de hembras —y machos— que lo admiren e idolatren y no de una mujer que le recuerde a todas horas sus defectos y carencias o los valores de los que adolece. Mario no quiere que tú le cambies, Male, nunca lo ha querido. Y en cierto modo, lo entiendo.

Como aquella vez que, en un alarde de *soytumejoramigaytevoyadarunpardeconsejitosquenomehaspedido*, le dijiste a Mario que cuando uno empieza una relación tiene que pensar en qué tipo de expareja se convertiría si lo dejaran. ¡Le advertiste de que aquella chucha no le convenía! Tú, Malena, su exnovia, le recomendaste que lo mejor para él era que no se embarcara en esa nueva aventura: ella no sería una buena ex en el futuro.

¡¡BRAVO!! Ovación cerrada, Male. Vítores y fanfarrias para ti. Cantamos línea y seguimos para bingo porque esto sólo puede mejorar. ¡Mi Male creyéndose con la potestad de meterse en la vida de Mario sin salir mal parada! Malena, la indemne. La que está por encima del bien y del mal.

Enhorabuena, criatura, te cubriste de gloria aquel día y lo sabes. Aunque, dicho sea de paso, no te faltaba razón. La tipa es una auténtica perra, créeme, tengo buen olfato.

Nunca te lo dije porque no quería calentar aún más los ánimos, pero en una ocasión en que me sacó a pasear Vega, vimos a Mario con la innombrable. Y es cierto, es bastante corriente y torticera. No me preguntes el motivo pero lo sé, y mis bigotes nunca me han engañado.

Él, que me reconoció a la legua, vino directo a acariciarme y a saludar a Vega. La conversación fue cordial aunque algo tensa, porque ambos sabían que tú no estabas pasando por un buen momento.

—¿Qué tal todo, Vega? —preguntó él, siempre educado y contenido para no rebasar los contornos dibujados en los márgenes de su vida.

A los pocos segundos llegó la perraca, que se había quedado mirando un escaparate, y antes de que diera tiempo a nada ya había informado a Vega de sus últimos planes con Mario. Un viaje relámpago a la costa y una cena para celebrar el fin del verano.

Ay, Male, pegué un tirón tan fuerte de la correa que la pobre Vega tuvo que reñirme por bruta. A ella también le habían dolido aquellas palabras, que dejaron patente que la chucha sólo pretendía marcar el territorio como si Mario fuera su coto privado de caza.

Vega nunca te lo contó para protegerte, pero nosotras también supimos siempre que la tipa era una gilipollas. Pero eso, Male, no te sitúa a ti en ningún lugar. No te hace a ti ser menos, al contrario. Él sí que demostró tener la torpeza a la altura de su ego. Pero te voy a plantear algo: ¿qué hubiera pasado si Mario hubiera rehecho su vida con una mujer imponente? ¿Te habrías quedado contenta? ¿Le habrías felicitado por su buena elección? ¿Por haber mejorado? La respuesta es sencilla: NO. En mayúsculas. Porque, ¿sabes una cosa, Malenita? Ninguna mujer, ni guapa ni fea, ni brillante ni torpe, ni más generosa o menos egoísta te hubiera parecido la idónea para él porque ninguna de ellas hubieras sido tú. Ésa es la raíz del problema. Que él no te iba a elegir y tú no lo aceptabas.

¿Sabes lo que te hubiera parecido un plan menos malo, Male? Que Mario hubiera tenido una vida como la mía: «La vida de Mía». Con minúsculas y en mayúsculas. Es decir, que no hubiera conocido a más hembra que a ti. (No es un reproche, pero te recuerdo que yo me fui al otro barrio sin catar varón, aunque eso no venga al caso ahora. ¡Ay, mi Lucas...!)

A lo que iba, Male, que tú hubieras deseado que Mario se hubiera quedado como un perrito faldero rondándote por las esquinas y deambulando en soledad los días tristes en los que no se encontrara contigo. Pero, por muy perro que fuera en algunos momentos —que lo fue—, nadie se merece eso. Ni siquiera él, pero tampoco tú, Male.

¿Te habrías atrevido a encalomarte a aquel otro macho que era la envidia del vecindario si Mario hubiese estado al retortero? ¿Hubieras querido olfatear al cachorro con pedigrí estratosférico a quien enseñaste más de una lección de vida? ¿Crees que hubieras sido capaz de empezar algo serio con Alejandro si Mario hubiera seguido rondando tu puerta? La respuesta de nuevo es sencilla: NO. En mayúsculas. Para minúscula la cola de aquel otro sabueso peludo que nos dejó la casa perdida aquella primera y única vez que lo trajiste. Porque en el proceso de recuperación, haber hubo de todo, Male.

Por cierto, ahora que estás de despedidas creo que deberías decirle al perro aquel que esos humitos que se gastaba debería templarlos porque con aquel pincel pocos lienzos va a pintar. ¡Nunca he soportado a los engreídos que además tienen *pito-lápiz*! ¿Hay algo más triste que un *pito-lápiz*, Male? Lo dudo. Bueno, quizá el *pito-niseinmuta*. Ay, esos falos que en erección tienen el mismo porte que estando en calma, y viceversa. Qué triste es la vida a veces cuando no te atiende enhiesta.

¿Ves cómo hay cosas peores que la muerte, Male? Relativiza, mujer.

Menos mal que las casualidades en ocasiones nos regalan otros momentos de placer. Y ahora pienso en francés.

28

Todavía olía a recién pintado. Era un hotel pequeño, con el encanto que tienen los regalos recién estrenados. Todo un mundo por descubrir, de caminos que recorrer, de noches que ver pasar mientras la vida sigue fuera, impertérrita a todo lo que allí sucede sin descanso.

Había llegado con retraso al aeropuerto de París. Una vez recogido mi equipaje, el taxista me confirmó lo que ya imaginaba: la dirección a la que íbamos estaba en el otro extremo de la ciudad. De hecho, hubiese sido mucho más inteligente haber volado hasta Orly en lugar de a Charles de Gaulle, pero en mi empresa no siempre se hacen las cosas como el sentido común dicta. Es como un reto corporativo: conseguir llevar adelante los proyectos más absurdos y, a ser posible, a mayor coste. Es nuestro ADN, está en nuestra genética. El I+D+I en nuestro caso es un acrónimo de Idiotas, Definitivamente Idiotas. Mezclado y no agitado, por favor.

Con ese pensamiento instalado en mi ofuscada mente llegué al fin al hotel, mi nuevo hogar, *Chambre d'Hôtes*, la habitación de invitados. Dejé la maleta en recepción y recalé directamente en el bar, donde pedí una copa de vino para celebrar que acababa de perder las últimas cinco horas de mi vida recorriendo terminales, espacios aéreos internacionales y calles infestadas de coches Peugeot, Citroën y Renault.

Pedí un tinto de Burdeos al azar y resultó ser excelente. Mientras lo degustaba con delicado mimo, me puse a hojear la agenda en el móvil para organizarme el día siguiente. De repente, reflejada en la pantalla vi la silueta de un hombre con camisa blanca, me giré y noté sobre mí los ojos más penetrantes que jamás me hayan mirado por primera vez. Eran grandes y marrones, tan expresivos como su boca, que se movía seductora acentuando el perfecto francés que emanaba de sus labios.

Apareció de la nada, se situó a mi lado en la barra, pagó la copa que acababa de tomar, me miró y sonrió como sólo sonríen esas personas que son conscientes de que sus encantos son infalibles al resto de los mortales. Asintió cortésmente y volvió a dejar al descubierto su amplia sonrisa. Cogió el cambio, se dio media vuelta y tomó el ascensor que lo llevaba a las habitaciones. Me quedé embelesada observándole marchar y me fijé en la planta en la que se detuvo el elevador, todavía con el sonido de sus zapatos alejándose y reverberando en mi corteza cerebral.

Finalmente, las puertas del ascensor volvieron a abrirse, ahora con una pareja joven en el interior, y aquella imagen me devolvió a mis quehaceres mundanos. Apuré la copa de vino y piqué unos cacahuetes que me había ofrecido el chico de la barra. Era un joven de origen argelino que dominaba cuatro idiomas a la perfección.

Me lo había contado un rato antes mientras yo observaba ensimismada su corte de pelo trazado con tiralíneas. Era un chaval perfecto, tan perfecto que no me atraía en absoluto, así que pronto seguí con mis asuntos hasta que el desconocido de ojos penetrantes entró en escena.

Contesté un par de correos que tenía pendientes y guiñé un ojo a Ahmed para que me sirviera otro burdeos. Eran las 20 h, así que le pedí que sintonizara las noticias en televisión. Hollande abría el informativo ese día porque había acudido a visitar la Costa Azul después de que unas fuertes lluvias hubieran dejado Cannes y Niza inundadas.

Me encanta cómo pronuncian los franceses el nombre de sus líderes. Hacen una pequeña pausa entre el nombre y el apellido. Como queriéndonos decir: esperad, que ahora viene lo mejor. «Fransuá... Holand.» Mira qué bien pronuncio mi idioma. Ni en un millón de vidas seríais capaces, resto de la humanidad, de decir así «Ségolen... Ruayal».

Sin percatarme del detalle, comencé a repetir en voz baja Fransuá Holand... Fransuá Holand... Fransuá Holand...

—No está mal, pero le aconsejo que cierre algo más la pronunciación de las vocales: «Fransuá Holond-e». Acentúe más la *e* final. En francés es muy sonora para destacar la *d*.

Me giré y vi de nuevo aquellos ojos perforándome. Sonreí y le dije:

—Disculpe. No termino de dominarlo, pero me encanta el francés.

Sonrió, levantó una ceja y con un gesto cómplice añadió:

—No me extraña. ¿Y a quién no?

Apuró la sonrisa y miró a Ahmed para preguntarle por los horarios del spa.

—Cierra en una hora, señor.

—Tiempo más que suficiente —apostilló mi James Bond galo. Echó un último vistazo a las noticias, miró el reloj y se fue hacia las escaleras rumbo a la zona de baño. Antes de desaparecer, me miró por última vez y me clavó de nuevo la mirada. En esta ocasión con un mensaje tan claro como omitido.

Apuré la segunda copa de vino y me llené la mano de cacahuetes, que comí de manera compulsiva.

«Estás nerviosa, Malena —me dije—. Ese hombre te gusta y quiere que le acompañes en su visita al spa.»

«¿Tú crees?», repliqué.

«Malena, no seas idiota y haz caso a tus instintos. Déjate llevar por las feromonas del placer, olvídate de la agenda, del trabajo de mañana y ve a divertirte con ese tío.»

«Es que…»

«¡Malena, coño, diviértete! Como ángel bueno eres un coñazo.»

«Pues tú cuando te pones cachonda eres insoportable.»

«Si no fuera por mí, Malena, no te habrías comido ni un rosco en diez años. Menos mal que te rescaté en aquella beca. Hubieras sido la primera universitaria de la historia que no hubiera follado de Erasmus.»

«Oye, lista, que al italiano me lo follé porque quise.»

«Porque quisiste y porque me puse a beber cervezas Peroni como si fuera a arder Roma aquella misma noche. Que si no te llego a poner pedo en aquella fiesta no te hubieras acostado con el guaperas ni en tres vidas.»

«Me fui con Enzo porque quise. Y con Marco la semana siguiente también. Cuando quiero me sé divertir.»

«¡Cuando me lo permites, dirás! Cuando dejas a la ursulina en casa o conseguimos atarla y dejarla calladita. Menos mal que el dios Baco se puso de nuestra parte y consiguió inmovilizarte durante los meses de beca en Italia.»

«Oye, que yo me he divertido mucho. ¡Y he follado!»

«Si yo no digo lo contrario, pero también es cierto que te has perdido muchas otras vivencias interesantes por pedorra, Malena!»

«¿Ah, sí? ¿Cuándo? Dime, ponme un ejemplo.»

«Ahora mismo. Con ese tío. Paga, ve al spa y búscalo.»

«Joder, cuando te pones pesada eres intratable.»

«Claro que sí, Malena. Parecemos almas gemelas, ¿eh?»

Aquella charla conmigo misma consiguió su objetivo: la excusa perfecta para eximir de toda responsabilidad en aquel asunto a mi «yo-ángel». Y así fue como mi «yo-demonio» me lanzó a los brazos del amor de invernadero en un hotel urbano.

Bajé las escaleras que llevaban al balneario de manera impaciente. Estaba deseando volver a encontrarme con aquellos ojos. En la sala de espera, una chica rubia, atenta y amable me ofreció un traje de baño y un juego de toallas tan blanco como la decoración de aquella zona de descanso. Me desvestí y, empujada por las dos copas de burdeos que llevaba encima, dejé atrás mi ropa y mi pudor.

La piscina era rectangular y únicamente disponía de un par de potentes chorros que aniquilan el dolor de cervicales y cualquier otro elemento que se interponga en la trayectoria de su endiablada agua. No había nadie en ese espacio, así que decidí entrar en el baño turco, donde intuí una figura masculina. Al abrir la puerta empañada, apareció mi James Bond y junto a él un señor mayor y su mujer, que aprovechó mi entrada para huir de aquella habitación húmeda de la tortura.

Bond sonrió e inclinó ligeramente la cabeza para señalar su banco. Acepté la sutil sugerencia y me senté a su lado. Aquello no era exactamente la escena que había imaginado, pero tampoco suponía un mal comienzo. Una hora después de nuestro primer encuentro visual, ya estábamos casi desnudos y cubiertos por un par de toallas.

El señor mayor de abundante cabello blanco demostró disponer de un gran estado físico y un nulo sentido de la oportunidad. Allí permaneció, junto a nosotros, diez largos minutos en los que incluso yo rompí a sudar. Era la primera vez que aguantaba tanto tiempo en un baño de vapor. El ambiente mentolado se fundió con el vino que acababa de ingerir y la mezcla me transportó a unas termas romanas.

Tras varias miradas de complicidad consideré que mi juego con Bond ya había terminado en aquella cueva de sufrimiento abrasador y decidí salir a tomar un poco de aire fresco. Intenté meterme en una pequeña poza de agua helada, pero no fui capaz de pasar de los tobillos, así que me dispuse a volcarme un cubo de agua fría con la ayuda de una cuerda.

El sistema era muy rudimentario, basado en la técnica original, y desde luego funcionaba porque no había escapatoria. Tiré de la cuerda y automáticamente quedé empapada. De la impresión, lancé un sonoro grito al notar el agua gélida empapar mi cuerpo y Bond no pudo evitar reírse al verme así. Acababa de salir del baño turco —ya sin toalla— y con un bañador de nadador azul y blanco no podía contener las carcajadas mientras se sacudía el pelo con una mano.

Era muy masculino. Y muy atractivo. Mucho más de lo que me había parecido en el bar del hotel. Tenía el cuerpo de un atleta y los rasgos afilados de la cara lo convertían en un hombre muy seductor. Nariz grande, labios carnosos y cejas delimitando una frente prominente.

No pude sino devolverle la sonrisa. Dejé la toalla y me metí en la piscina. Siguió mis pasos e hicimos el minicircuito de spa sin abrir la boca. Todavía tenía el calor en el cuerpo a pesar del cubo de agua helada. Mi cerebro no podía pensar con claridad y ya sólo podía imaginarme besando a aquel hombre en una de las tumbonas de la zona de masajes.

Para calmar mi mente y mi entrepierna, decidí someterme a la tortura del despiadado chorro en la nuca. Cuando volví a abrir los ojos, un minuto más tarde, él había desaparecido. Salí yo también de manera precipitada del agua y, mientras me envolvía en la toalla para secarme, vi cómo avanzaba hacia el pasillo de salida no sin antes girarse para penetrarme por última vez con la mirada.

Sentí un pinchazo en el clítoris. Me di cuenta de que Bond había conseguido excitarme sólo con una mirada. Despertó el deseo y el fuego de la seducción.

Caminé rápidamente en su búsqueda y volvimos a coincidir esperando el ascensor. La espera hizo que mi corazón se agitase aún más. La fuerza de mis pulsaciones eclipsaba el sonido cada vez más lejano de las burbujas del spa.

Se abrieron las puertas al fin y el señor Bond únicamente me preguntó en un perfecto español:

—¿A qué planta va?

—A la última —respondí tímidamente. Se encendió el 6 y todavía temblé con más agitación al comprobar que no había pulsado el 3, la planta donde, un rato antes, había visto detenerse el ascensor cuando Bond se marchó a su habitación.

Llegamos a nuestro destino —al menos al mío—, le di las gracias y salí del habitáculo sin mirar atrás. Sentí que las puertas se cerraban poco después y que el ascensor seguía su rumbo. Caminé hasta mi habitación ubicada al final de un pequeño pasillo. Saqué la tarjeta, la introduje en la ranura y la puerta se abrió. Atravesé el umbral y, justo cuando tendría que haber notado el golpe seco del portazo, se interpuso su pie para amortiguarlo. La puerta no llegó a cerrarse y, tras ella, apareció él. Me miró fijamente y me lanzó un «¿Puedo pasar?» tan sensual que no pude resistirme.

Avancé por el diminuto hall de entrada, dejé el baño a la izquierda y continué mi camino hasta el dormitorio. Al girarme, noté de nuevo sus ojos clavados en los míos. Se detuvo muy cerca de mi cuerpo, pero sin rozarme. Todavía estábamos algo húmedos tras el baño en la piscina y nuestro cabello mojado dejaba caer algunas gotas de cuando en cuando. Cogió mi toalla y la dejó caer al suelo y fue entonces cuando me percaté de que habíamos subido directamente sin pasar por las taquillas para vestirnos de nuevo.

Mi escueto bikini negro anudado al cuello dejaba al descubierto medio pecho. Bond miró mi escote, sonrió y sin mediar palabra me besó en la clavícula. Noté cómo se erizaban todos los pequeños poros de mi piel. El aliento de un desconocido paseando por mi cuello dio rienda suelta a mis instintos más básicos y primarios. Mis labios se despegaron para dejar entrar algo de aire y un ligero espasmo sacudió mi abdomen.

Y entonces llegaron sus manos. Y sus dedos. Unos dedos propios de un experimentado pianista. Con ellos fue dibujando el contorno del bikini y provocándome un ligero estertor cada vez que se salían del trazado del tejido y rozaban mi piel. Una vez completada la silueta, dejó caer la mano y rozó mi pubis. Aquel ligero movimiento me provocó un fino alarido que animó a Bond a seguir jugando por aquella zona.

Sus dedos índice y corazón se desplazaban lentamente pero con soltura por encima del traje de baño. Mis piernas aguantaron el primer envite, pero pronto se desplazaron a ambos lados para dejar espacio a aquellos curiosos intrusos.

Sus ojos enormes y desafiantes comenzaron a recorrer mi rostro sin ningún pudor. Primero la boca y después la nariz, para volver a mis labios. Acercó su cara a la mía, casi se rozaban las mejillas, y terminó el sensual recorrido en mi lóbulo. Sacó la lengua y cubrió con saliva todo lo que encontró a su paso.

—Te voy a hacer tocar el cielo… En París. —Bond estaba muy excitado y su voz delataba una erección tan imponente como la de su cuerpo.

Sus manos, impacientes por descubrir mis zonas más oscuras, soltaron las lazadas que sujetaban el bikini a las caderas y la prenda cayó ligera sobre mis pies como si hubiese sido seccionada por un sable.

El vello púbico quedó al descubierto y su mirada ya no pudo apartarse de allí. Sus dedos, liberados ya de ataduras, pudieron inspeccionar aquel terreno desconocido. Se aliaron en esa batalla en la que comenzaron a introducirse por mis muslos. Se desplazaban en movimientos enredándose en el placer. Finalmente, mis labios se abrieron para recibir aquella visita inesperada.

La contienda entre ambos inflamó todo lo que encontró a su paso.

Las caricias de sus dedos
la calidez de mi lengua
el despertar de los cuerpos.

La luz de mis ojos
el baile de alientos

el roce en mis senos
rodillas al suelo.

El fuego en mi cara
testigo, su miembro
placeres ocultos
éxtasis eterno.

Descubrió mil pliegues y costuras, merodeó cuanto quiso dándome un placer desconocido.

Así fue el primero de mis encuentros con mi amante de París. Mi 007 a domicilio, el James Bond de mi sexo, mi mejor agente secreto.

Estuve dormida tanto tiempo
que fue un sueño despertar

29

He querido venir a decirte adiós, *au revoire*, mi querido agente secreto. A pesar de lo que pudiera parecer, de nuestra atracción carnal, del exceso de lujuria y la escasez de normalidad, vengo a decirte que te quise.

Oui, je t'aime. Como Birkin y Gainsbourg. Lo nuestro fue una canción, un baile al compás. Y, después de aquello, la distancia y esperar a que volviera a sonar nuestra música.

Tras nuestro primer encuentro en el hotel de París, decidimos separarnos y decirnos adiós. Tú estabas casado y aquello podía llevarnos a una situación aún más complicada, algo de lo que en aquel momento huíamos los dos. Yo seguía luchando por apartarme de Mario y cualquier clavo me venía bien, incluso el tuyo, que resultó estar también ardiendo.

Lo tuyo era más complicado. Infiel y promiscuo por naturaleza, por elección, devoción o por pura adicción. Tantas mujeres entre tus manos, tantos perfumes distintos, tanto olor a sexo nuevo que la rutina de casa se te antojaba irrespirable, pero a pesar de todo no dejarías nunca a tu mujer y a tu pequeño. Laurent tenía tres años cuando te conocí. Ahora ya tiene ocho.

Hacía un año que te habían destinado a España. Director de marketing de una gran compañía con una enorme proyección internacional. Los viajes por toda Europa eran frecuentes, sobre todo a Lisboa, Roma, Londres y París. Y así fue como se fue forjando nuestra «no relación». Una historia intermitentemente constante, constantemente pasajera.

Fueron tantos los encuentros que tuvimos. Tan innumerables los ratos de pasión, las veladas arrojadas a tus brazos, los encuentros furtivos. Tantos que hubo que detenerlos en el tiempo. Ninguna mente que aspire a alcanzar cierta calma, cierta paz interior, cierto sosiego, podría llevar aquel ritmo. Un ritmo implacable, abrasador, tan sexualmente atractivo, tan fascinantemente prohibido.

La segunda cita fue en Madrid. Ambos acudimos con la voluntad fingida de reorientar nuestra recién inaugurada relación. Quisimos tomar un aperitivo para confirmar algo que nunca llegaríamos a conseguir del todo: ser únicamente amigos.

Llegaste en moto y la aparcaste en la acera, junto a la terraza donde te esperaba con vistas a la Puerta de Alcalá y a un lateral del parque del Retiro. Era primavera y también yo estaba en ebullición, como la estación más luminosa, mi favorita.

Vestía una falda corta y una blusa blanca, botas con remaches y carmín rojo en los labios. El pelo recogido y tirante, como en nuestra primera vez.

Tú acudiste vestido de modo informal. Habías dedicado la mañana a trabajar en las oficinas y no tenías que guardar las formas ante los clientes. Unos vaqueros, camisa oscura y botas marrones de ante con los cordones de color burdeos.

Te quitaste el casco y aparecieron tus ojos de nuevo. Y pude confirmar lo que mi memoria llevaba algunas semanas recordándome insistentemente: eras irresistible.

—¿No llevas chaqueta? ¿Y si te caes? —te interpelé nada más verte.

—Yo nunca caigo, nena. —Sonreíste y me diste un sonoro beso en la mejilla—. Estás preciosa. Como siempre. Bueno, como aquella vez.

Y volviste a sonreír y a guiñarme un ojo.

Aquélla fue la primera de nuestras múltiples citas tramposas. Todas ellas revestidas en misterio, envueltas en la intriga de si sería nuestra última vez, el temor a ser vistos y la gula insaciable del ansioso bulímico que nunca queda satisfecho con su festín.

Nos lanzamos a charlar con premura y comenzamos a ponernos al día en aquel mismo instante. Teníamos todo por desvelarnos, puesto que éramos unos completos desconocidos aunque ya hubiésemos explorado nuestras parcelas más íntimas. Era extraño, como si hubiéramos coincidido años atrás. O en otra vida.

Recordamos la locura de nuestro encuentro en la *Chambre d'Hôtes*. La charla al día siguiente para dejar claro que aquello había sido «lo que había sido». Así lo definimos y no nos equivocamos. Fue lo que fue, aunque nunca tuvimos claro lo que era exactamente.

Me hablaste de tu hijo y de tu mujer. De lo solo que te sentías a veces a pesar de tener una familia aparentemente perfecta. De tus gustos, tus arrebatos, tus filias y tus fobias. Y todo ello sin dejar de seducirme y sin que aquello me molestase. Era todo especial, pensaba yo entonces. Raro y tarado, como nosotros, pienso ahora.

Te conté que tenía una perrita llamada Mía y una relación de enganche con un exnovio llamado Mario. Un tormento voluntario del que sabía que tendría que desprenderme en algún momento.

—No creo que lo que necesites sea un James Bond en tu vida —me aconsejaste cínicamente.

—Demasiado tarde —apostillé sin darte tiempo a la réplica—. Ya tengo mi agente secreto protector.

Aquel encuentro abrió la veda a los contactos habituales y, sobre todo, a los mensajes a través del móvil. Comenzaste a escribirme por la mañana. Saludos de cortesía, de buenos días, deseándome una buena jornada, nada destacable. Hasta que llegó aquel día en que no fui a trabajar y me quedé en casa. Tenía tiempo para charlar y tú estabas en la T4 esperando un avión rumbo a Londres. La temperatura fue subiendo al ritmo que lo hacía el tono de la conversación. De los mensajes de texto pasamos a los de audio y terminamos finalmente intercambiando fotos. Yo, desnuda en el sofá. Tú, en un baño del aeropuerto.

La conversación terminó aquella noche cuando, ya desde tu hotel, me llamaste para escuchar de viva voz lo que horas antes habíamos tenido que concluir a mano.

El sexo telefónico se convirtió en una vía de escape tan cautivadora como peligrosa. Formaba parte de nuestra vida oculta, la parcela velada.

La «no relación» se fue intensificando a pesar de las frecuentes conversaciones baldías en las que nos repetíamos hasta la saciedad que aquello no nos llevaría a nada. Yo seguía atrapada en las redes de Mario y tú no cambiarías tu modo de vida convencional, al menos de cara a la galería.

El tiempo fue pasando y en cada encuentro, en cada hotel, cada cena arrebatada, cada visita fugaz, nos fuimos sincerando. Nuestras vidas en la oscuridad se fueron haciendo cómplices unidas por la mentira. Tú mentías a tu familia, yo siempre me mentí a mí misma.

Al principio trampeaba la realidad. No te quería, pero me servías para olvidarme de Mario. Después me fui enganchando también a ti, hasta que caí en la cuenta de que mi mente necesitaba consumir vuestras dosis a diario. Me convertí en politoxicómana del placer y la adrenalina, de Mario y de ti, 007.

Nunca te di un motivo exacto, no quise estropear lo que fuera que habíamos creado. Pero, ahora que es posible —esta vez sí— que sea la última vez que me dirija a ti, quiero que sepas que te dejé porque también a ti te quise.

Me aferré a ti para no hacerme más daño con Mario y al final no conseguí ninguno de mis dos objetivos. Cuando comprobé que tú también me hacías daño, que tus mentiras me herían, que yo era una más de tus cortesanas, me fui.

Y ahora vuelvo sin rencor, porque nunca me engañaste, pero en el fondo siempre pensé que cambiarías por mí. Que de mí te enamorarías. Que la rutina conmigo sería menos rutina. Y así, cuando empecé a mezclar el sexo con el amor, la pasión con los sentimientos, decidí tomar las riendas y escapar.

Y te eché mucho de menos, lo confieso. Mi vida fue más aburrida desde aquel momento, cuando dejé de contestar a tus mensajes sexys y de acudir a tus citas. Escuchaba tus notas de voz y ya no me excitaban, sino que me ponían triste. La mezcla se volvió peligrosa y te aparté.

Había sufrido mucho por Mario y, como el perro temeroso que ha sido maltratado, me fui para no sufrir más por ti. Escogí seguir sufriendo sólo por él. Y de nuevo me volví a mentir.

Por eso vuelvo hoy, mi agente secreto. Con el ánimo de que lo entiendas. Estoy convencida de que lo harás. Siempre fuimos cómplices, en la cama, en la embriaguez de la pasión y en la penumbra de las relaciones que nunca han existido porque no se pueden confesar.

Gracias por todo, James Bond. También por no existir.

Del quererte al que me quisieras
Del que me quisieras al desquererte
Del quiero y no puedo al puedo y no quiero

30

¿Cómo iba a intentar tener algo de paz si cada vez que te veía volvía? Volvía todo. Los recuerdos. Y volvías tú, Mario. Como una manada de ñus hambrientos venían a mí todos esos años que considero perdidos porque no volviste.

¿Por qué no regresaste? ¿Por qué no luchaste por mí? ¿Por qué me hiciste caso y no apareciste jamás? Preguntas. Siempre preguntas y tan pocas respuestas.

¿Te acuerdas de cuando volví a tu casa? Una casa que no pudo ser nuestra. Fue extraño. Aquel sofá nunca nos volvería a abrazar a los dos. La alfombra que nos había visto enredarnos era testigo ahora únicamente de nuestras pisadas. Las huellas de una historia tan profunda como sus cicatrices. Al ver en la terraza aquellas dos tumbonas vacías y expuestas al sol pensé en la de momentos que nos habríamos perdido. La de velas sin consumir, la de cenas a la luz de aquel cielo. Porque desde que nos dijimos adiós, desde que te dije que me dejaras y me obedeciste, nuestros cielos fueron distintos. Era otro el techo que nos daba protección y el que nos aportaba libertad. Ya nunca lo volveríamos a compartir aunque coincidiéramos mil veces más. Porque ya no éramos nosotros. Volvimos a ser tú y yo. Tan singulares como nuestros tejados de mentira.

De lo que sí fue testigo aquel sillón, tanto tiempo después, fue de tu mano acariciando mi temblorosa pierna. Sé que debí apartarla. Ya no tenías derecho a invadir mi territorio, esas propiedades que durante tanto tiempo fueron tuyas.

Hice como si nada. Como tantas veces habías hecho tú conmigo al saberme triste y no poder poner remedio. Tus dedos jugaban con mis moldeados muslos sin más pretensión que desestabilizarme, quién sabe si con alguna otra intención. Los músculos de mi pierna se contraían al tiempo que tus dedos la recorrían. Así que intenté poner fin a aquella incómoda situación.

Me levanté y eché un vistazo al salón. Vi las fotos que ahora adornaban tu hogar. Observé tus muebles, tus nuevos recuerdos. Me enseñaste la reforma que habías hecho. Y llegamos al dormitorio. Una cama enorme lo presidía y, a los pies, un banco donde yo podría haberme sentado tantas veces. Pero ya no.

Ya no me asomaría por aquella ventana con vistas a nuestro futuro en común, ni me contemplarías salir desnuda de la cama para ir a la ducha después de haber hecho el amor. No me verías vestirme lentamente ante el espejo, ni me volverías a decir que te encantaba mi cuerpo. Mis pechos ya no proporcionarían el calor que tus manos me pedían. Esos cuencos que encajaban a la perfección con todo lo que yo te aportaba. No te arrodillarías ante mí para verme desde abajo. No abrirías tu boca ansiosa, ni sacarías la lengua buscando mi sexo. No me tumbarías boca abajo para introducir tu mano. No me verías abandonarme a ti. Nunca más.

Vi el resto de la casa como si de un mal sueño se tratara. Pasé en volandas por aquel lavabo donde nos podríamos haber bañado juntos. El vestidor repleto de prendas con tu olor. El despacho con nuestros libros. Nunca debí haber pisado de nuevo aquel territorio prohibido.

Te puse una excusa, seguramente igual de poco creíble que la que había utilizado para visitarte, y me fui rápidamente como una cenicienta temerosa. Caí en mi trampa mortal y me di cuenta de que, a pesar de todo y de tanto, todavía no estaba preparada para ser tu amiga.

Los amigos se quieren sin puntos y aparte, sin comas ni acentos. Se quieren porque sí. Se perdonan. Y yo puse tantos puntos suspensivos a nuestra historia que, con la distancia del tiempo, se percibían como una línea continua. Una raya pintada en el suelo con la que yo tropezaba una y otra vez. Mi rayuela sin olvido. Mi recuerdo de rayuela.

Si te hubieras parecido
a lo que yo había imaginado
Si la vida no se improvisara
Si el guión lo hubiera escrito yo
Sí
O no

31

Con los hombres no, pero qué buena puntería tuve siempre para elegir a los amigos. Desde niña. Conservo tantos y tan buenos. Casi todos.

Vengo a decirte una cosa, Eva. Sólo una. Bueno, una que son muchas en ella misma. Desde aquel día, tus padres no han vuelto a dormir sin pastillas. Ella con un altar de fotografías tuyas sobre la cómoda de su habitación de matrimonio, si es que todavía se le puede llamar así. Él, bebiendo y fumando como nunca o como siempre, si es que se puede exceder aún más. Ambos con ansiolíticos, antidepresivos e hipnóticos del sueño en el que llevan sumidos desde que decidiste cortar por lo sano. Y ahora, por una vez, no hablo metafóricamente.

Las puertas perfectamente selladas para impedir el paso a nadie. La nota alertando de que algo sucedía más allá. Y las cartas de despedida. Para todos y para siempre. Cartas personalizadas porque ¡qué mal lo hiciste, pero qué bien quisiste hacerlo! Fue el adiós más triste que jamás me han dedicado.

«Cuida de todos, Malena, ahora que ya no estoy.» Eso me decías. Era tu letra. La misma que tantas veces había leído de tus apuntes y copiado de tus exámenes. ¡Maldita sea la vida! La vida, tan puta tantos ratos. Como este que meticulosamente nos habías preparado como una macabra sorpresa.

«Es mejor que me vaya. La única manera de ser feliz y de que todos lo seáis sin mí. No quiero ser un problema para nadie.» Eso escribiste, seguramente convencida. ¡Maldita seas! En aquel momento, si todavía hubieras estado con vida, te habría matado yo misma. Primero de rabia. Después de pena. Puta vida, la que acababas de perder.

Y tu cambio de estado en el WhatsApp minutos antes de acabar con todo. «Me voy al fin. Deseadme buen viaje.» Y al fin te fuiste. Al fin, del todo. Y ahí se quebró tu película que resultó ser un corto. Con la de cosas que teníamos por hacer, la de planes por llevar a cabo, la de risas por lanzar al aire, la de llantos por tantos desamores futuros. Pero tú te bajaste en aquella puta estación porque no dabas la talla. ¿Y sabes una cosa, Eva? Siempre la diste. De sobra. Eso vengo a decirte ahora que la que se muere soy yo.

Inteligente, responsable, aplicada, buena gente, buena amiga. Buena con todos menos contigo. Siempre te pediste más mientras que a nosotros nos pedías menos. La puta autoestima que te fue mermando hasta dejarte tan flaca como tu escuálido cuerpecito. Tu melena convertida en hilos, las manos llenas de tendones, las caderas exhibiendo huesos y los músculos afilados como tu sentido del humor, que poco a poco se fue agriando con tu carácter. La ironía cedió el paso al sarcasmo lacerante. La disposición se abandonó ante las excusas. Y tu lenguaje se te volvió en contra. Siempre hablando de ti. Y nunca bien.

Recuerdo con nitidez el día que decidiste ponerte a dieta. Estábamos en el último año de bachillerato, justo antes de acceder a la universidad. Te llevaste una manzana al almuerzo. ¡Puta manzana que desencadenó el pecado de mi Eva! La manzana te llevó a la lechuga y al filete a la plancha. Dejaste el pan por el agua y, más tarde, cambiaste el agua por el whisky con cola *light*. El alcohol te engordaba, pero cuando se convertía en las únicas calorías de los fines de semana tampoco te resultaba tan molesto.

Y entonces llegó el abandono. De la carrera el año siguiente y un poco de ti misma cada día. Cambiaste Filología por una tienda de ropa. La biblioteca por el gimnasio y nuestras charlas al sol por los rayos uva. Y la regla te abandonó a ti. Lógico, no hay cuerpo que aguante esa agresión. Cinco años sin tener el periodo. Un lustro de maltrato a la mujer que más deberías haber querido. Y cuando al fin conseguiste superar a la baja la barrera de los 35 kilos pudimos ingresarte.

Ya no eras tú. El escaso pelo que se había escapado a tus tirones comenzaba a clarear en las zonas sin calvas. Y entonces comenzaste con el pubis hasta dejarlo como el de una niña pequeña. Una muñeca indefensa y sin autocontrol. Tus manos nerviosas comenzaron a pelarse la una a la otra. Padrastros enormes que te dejaban los dedos en sangre viva. Arañazos voluntarios, granos en la cara y ojos tan hundidos como la vida que ya hacía tiempo habías comenzado a abandonar.

Espero reconocerte ahora que es posible que nos reencontremos, Eva. Te perdono por lo mucho que te quería, pero nunca olvidaré que me abandonaras en los que deberían haber sido los años más felices de nuestras vidas. Tampoco me perdono a mí misma no haber sabido hacer más para salvarte de esa obsesión autodestructiva. No fui capaz y lo siento. Esa idea me acompañará hasta el último de mis días. Sea hoy o no sea.

Fue tan cobarde
que se atrevió
a apartarse
Fue tan valiente
que no pudo evitarlo
Fue ambas cosas
Y dejó de ser

32

A ratos sigo queriendo que vuelvas
así que vete

No sé el tiempo que llevaré aquí tumbada, pero siento que ya es demasiado. Mi agotamiento es tal que intuyo que han debido de sedarme con algún calmante potente. El dolor ya no es tan insoportable, o quizá sí, pero he logrado acostumbrarme a él. Y a este olor que todo lo inunda.

El olor de los hospitales es inconfundible. Invade todo, incluso la ropa de cama. Desde la entrada se cuela por los pasillos y termina por instalarse en las habitaciones donde el hedor a medicamento sobrevuela nuestras conciencias turbadas.

¿Recuerdas aquel día, Mario, que fuimos en tu coche a la maternidad? Decidimos ir a ver al bebé de tu amiga María. Acababa de dar a luz y madre e hija continuaban ingresadas en un hospital a 50 kilómetros de mi casa. Preferimos acudir juntos. Seguramente fue un error, como tantos otros que habíamos cometido anteriormente.

—Será sólo un momento. Vamos, la felicitamos y me llevas de vuelta al trabajo.

Eso te dije. Tratando de engañarme de nuevo. Buscando una excusa barata para coincidir contigo a solas y sonsacarte alguno de esos sentimientos que yo seguía convencida de que escondías en tu interior por miedo a dejarlos salir. Y me empeñé, una vez más, en forzar una situación tan artificial como poco recomendable para mi inestable equilibrio emocional.

—Perfecto, Malena. Te recojo a mediodía, picamos algo de camino y subimos a conocer a la niña.

En aquel momento, la visita fugaz se había convertido de repente en una cita ficticia y mis sienes se alteraron a un ritmo punzante.

¿Cómo era posible? Llevábamos dos años —DOS— sin besarnos, sin rozarnos como pareja, sin hablar de «lo nuestro», que ya hacía tiempo que se había convertido en «lo tuyo y lo mío» por separado. ¿Cómo era posible que me ilusionara quedar contigo, que me recogieras, que compartiéramos aquel paseo en coche como los que hicimos durante nuestra tortuosa relación?

—Estupendo. Avísame cuando estés en la puerta y salgo.

Y le di a enviar aquel mensaje que me trasladó a otra época. Cuando salía eufórica del trabajo para hacer una compra rápida y preparar una cena improvisada en mi casa. Una cena que terminaba con nosotros tumbados en el sofá, dos copas de vino vacías y besos que destilaban sexo.

Cuando me recogiste, nos observamos de manera fugaz, nos besamos cortésmente y me echaste una mirada de arriba abajo. Debo reconocer que seleccioné de mi armario una camisa con una oportuna abertura en mi escote. El sostén negro con encaje en los tirantes y en la parte delantera no pasó desapercibido a tu mirada furtiva.

Me sonreíste y exclamaste un «¡estás muy guapa!» que me dejó paralizada un segundo. También reconozco que te encontré desmejorado, con cierta aura de abatimiento en tu rostro que te empeñabas en disimular con la mejor de tus sonrisas. Y te confieso, por última vez, que me dio igual.

Nunca me importó tu físico porque me encantabas. Me gustaba todo lo que hacías, lo que decías y lo que dejabas de decir. Hasta que dejaste de encantarme y me empeñé en hacerte cambiar desde la distancia en lugar de dejarte pasar simplemente.

Me llevaste a comer a un restaurante tranquilo que lejos de parecer un bar de carretera nos trasladó al ambiente de un hotel refinado. Y entonces, mirando el entorno, te lo dije.

—Me apetece mucho viajar. Hacer rutas gastronómicas, de vinos, relax y sosiego.

Y advertí una media sonrisa en tu rostro que interpreté como unas ganas irrefrenables de hacerme el amor, de escaparte conmigo, de ilusión contenida. Ganas de quererme cerca. Y de quererme, a secas.

Fuimos trufando nuestra charla cordial con bocados que nos esmerábamos en saborear intentando ganarle segundos al tiempo. Cuando ya no pudimos alargar más la degustación de los postres emprendimos nuestro viaje.

No sé si fue por las emociones destapadas después de tanto tiempo intentando escondérmelas o si sería el vino que tan fácilmente había ingerido, pero te pedí el móvil para ponerte una canción. Había agotado el consumo de datos en mi teléfono y ya no podía navegar más hasta nueva orden de la compañía. Me lo entregaste sin recelo, algo que me extrañó porque nunca fuiste así, y busqué aquella canción que yo creía que hablaba de nosotros tanto tiempo después. Y en aquel preciso momento de euforia lírica, de ganas de comerme el mundo y de comerte a besos, en ese instante en el que comenzó a sonar aquel tema que siempre me recordaba a ti, llegó aquel otro mensaje. Corto, breve, directo, como la punzada que me provocó en el pecho.

Hola Eme!!!

«Eme», decía. Esa otra mujer, tu nueva cómplice de saludos encriptados, esa nueva figura que tú te empeñabas en ocultarme a la vista, pero que estaba ahí para lanzarte mensajes en el momento más inoportuno.

«Eme», te llamaba. ¡Pero si Eme sólo te llamaba yo! ¿Cómo se atrevía a llamarte por mi nombre? ¿Cómo osaba tomar en vano el nombre que yo te había inventado?

Tampoco entendí aquellas exclamaciones finales de su mensaje. Como si hubiera motivos para estar contenta.

Te entregué el móvil, terminó la canción y no volví a mirarte ni a mencionar una sola palabra. Era incapaz. Me quedé muda. Tampoco fui capaz de contener las lágrimas y ni siquiera eso me importó. Comencé a llorar en silencio, para mí, porque me lo merecía. Por testaruda. Y por tonta.

Nunca pensé que alguien ocuparía algún día mi lugar.

Deja de quedarte.
Te pido que te vayas.
También de mis recuerdos.

Fuiste el genio
y yo la lámpara
Fui yo
quien te inventó
Ni héroe ni villano
Ni amor ni desengaño
Fue lo que te quise
Yo

33

Tú no lo sabes, Mario, pero has viajado conmigo.

Fuimos víctimas de nuestra propia obsolescencia programada. Como mi cafetera, que se estropeó cuando más necesitaba el café, cuando peor dormía. Era moderna y compacta, una máquina de este siglo, ligera y automática, un aparato que parecía perfecto, pero ambos sabíamos que nos serviría un número limitado de tazas.

Igual que nuestros encuentros apasionados y nuestros besos trastabillados, que se terminaron un día, aquella cafetera también se estropeó pronto. Demasiado pronto para lo que cabría esperar de ella, insolentemente pronto para mí, que no me lo esperaba aunque lo supiese de antemano.

Como nuestra cuenta atrás con la muerte, era consciente de ello, pero seguía confiando en que aquellas cápsulas de cafeína serían inagotables.

Cuando murió aquella cafetera, murieron también nuestros desayunos. Y tú hacía un tiempo que ya no venías a casa, pero con ella se desvaneció también la posibilidad de que las cosas pudieran volver a ser como antes.

Era como si nuestra felicidad dependiera de esa maldita máquina exprés, como nuestro amor a borbotones.

Pasé a tomar tés de innumerables tipos, bebí manzanillas, poleos, probé infusiones con canela y cardamomo, pero nada me sabía tan bien como aquellos primeros cafés.

Tardé mucho en volver a ser la de antes, muchos días hasta que me volvieron a llevar el café a la cama.

Por eso cuando descubrí que le habías regalado a otra algunas de nuestras canciones se me encogió el alma y se me partieron los recuerdos. ¿Cómo pudiste hacerle eso a nuestro disco favorito? A esa canción —sólo tuya y mía— que escuchamos tantas veces al subir al coche y que nos recordábamos en la distancia.

¿Cómo fuiste capaz de poner nuestra música en otras manos, en otros besos, en otros cuerpos?

Tú, sin mí, en algún lugar no tan sagrado. Tú, con otra. Pobre mujer pegada a un pobre hombre.

Todo tan de segunda mano, como tu amor. Desca-
feinado.

Apenas me conociste
A penas te conocí

34*

«Eme, cuando se ponga el sol voy a despedirme. Será como un collage *lo que tuvimos.»* Eso te dije y motivos sabes de sobra que tenía. A esas alturas, yo sólo tenía un objetivo: *borrarme la señal de tus colmillos.* Recuerda lo que pasó, Eme. Pasó que *me dejaste el cuerpo fuera y la cabeza entera, guardada seca entre tus trofeos y mis medias.*

Yo, que había entregado las armas. Yo, que había llegado hasta allí sin más opción que la de abandonarme a ti, a tus encantos. Yo sólo quería ya sentarme a mirar *la sombra que hacían las rejas mientras metías las orejas en el centro de mi andar.* Y todo, Eme, para quererte un poco más.

Pero entonces llegaba el día después. Siempre llegaba. Y yo volvía a sufrir sin ti. Y a necesitarte. Y de nuevo sucumbía y volvíamos *a tener cita donde le roban tiempo al amor.* Me juré tantas veces que no,

Mario. Tantas que te lo dejé por escrito, aunque tú nunca me creyeras. Quiero decirte, quiero que sepas, que *le puse sangre al grito de los que aman sin poder amar.*

Hubo idas y venidas. *Hubo días para pedírtelo, semanas para dudar, veranos en vilo hasta el final.* Y todo terminaba siempre por resumirse en lo mismo, en la soledad del vacío. Así que hice de aquel grito oídos sordos y del corazón mis tripas.

Y me fui. Porque siempre supe *que seríamos carne de cañón de madrugada mientras me siguieras clavando el arpón con la mirada.* Aquel día me atreví y te lo dije, una vez más. *«Voy a apartarme* —grité—, *lo he decidido.»* *Y sabía que pagaría después por quererlo hacer con las manos que abrieron camino.*

Y como me temblaban demasiado las piernas, al final, le añadí a aquella frase un punto seguido. Te lancé un pergamino. Y entonces ya no supe lo que quería y lo que no. Si tu *tequiero* o si tu *adiós.*

¿Y sabes, Mario? Hace tiempo que soy río. Que me dejo llevar y fluir. Hace tiempo que sonrío cuando pienso en aquello que hicimos. Hace tiempo que no lloro, pero me estrello a tu salud. Hace demasiado tiempo de todo y lo sigo echando a cara o cruz.

Después de aquel huracán sólo podía pensar cuánto tiempo iba a llevarnos reponernos de los golpes. De mi eterna despedida. *Y ahora sé, Mario, que la guerra durará más que tú. Peligrosa doble vida.*

Recé a todos los santos en los que no creía para que llegara la calma. Pero *ya nunca volví a ser la de antes. Nada volvió a ser igual. Porque la vida se parte y yo no me quise agarrar.*

Exhausta, me desvanecí. *Y acostada a la sombra de un árbol sin ramas, las dudas y el miedo sirvieron de almohada.* Juro que lo intenté, pero no fui capaz. *Dormirme era imposible.* Y aunque el mar estaba en calma, seguía notando tu viento de cara.

Di mil vueltas en la cama. Y ante mis ojos cerrados, sólo pude *ver que ya no piensas en mí, que ya no crees en la gente.* Y a pesar de sentirte tan cerca, *estaba tan lejos de ti que ya no recuerdo el momento en que te dije por última vez que el cielo se estaba abriendo. Y sí, se abrió bajo tus pies.* Y yo me desplomé tras él después de decirte *que volvieras conmigo. A cualquier otra parte.*

Y al tropezar de nuevo en mi contradicción sólo podía musitar entre dientes que *no me faltes. Ya no sabía muy bien qué darte. Sólo tenía hueso y carne. A falta de recuperar el alma, que por entonces estaba en el aire.*

No esperaba una respuesta. Ya me la daba yo: era locura transitoria. *Y bajé de nuevo a la tierra y traté de cruzar la línea divisoria que separa en esta historia la locura y la razón.* Fue inútil.

Comprobé que estaba *condenada a mirarte desde fuera y dejar que te tocara el sol. Y mi vida pasó a ser una escalera y me la pasé entera buscando el siguiente escalón.* Hasta que asumí que tenía que *dejar de lado la vereda de la puerta de atrás por donde te vi marchar.*

Yo llegué tan inocente a ti que desconocía lo que asomaba en el horizonte.

Al final llegó el frío, la pérdida y la herida.

Y ahora que podemos hacer balance, ahora que me reconcilio conmigo misma, soy consciente de que *lo peor de aquel amor fueron las habitaciones ventiladas. La adrenalina en camas separadas. El sístole sin diástole ni dueño.*

Lo atroz de nuestra pasión llegó cuando pasó. *Cuando al punto final de los finales no le siguieron dos puntos suspensivos.*

Y no, Mario. *No hubo bálsamo que curara mis cicatrices, ni rosario que no contara cuentas infelices. Y callabas tanto que nunca me decías la verdad. Y todo era un almacén de sábanas que no ardían.* Y ni llamadas, ni contestador, ni supiste no decirme, cobarde, que no. Y los besos siguieron en huelga y tus pantalones siendo largos. Y sí, éstos son los últimos versos que te escribo, Mario. De momento.

Así me vi aunque ya estaba advertida. *Me lo dijeron mil veces y yo nunca quise poner atención.* No debería quererte, me repetía. No debería quererte. Y sin embargo, Mario, *sabes mejor que yo que hasta los huesos sólo calan los besos que no has dado.*

Y así me dejaste esta herencia. Un testamento a base de *derechos de amor, un siete en el corazón y un mar de dudas.* No quisiste *besar mi cicatriz.* No quisiste *morirme contigo* ni sin mí. El nuestro fue un amor poco civilizado. Y nos terminó matando. Pero nunca muere. Ya ves, Mario.

Te creí, Mario, cuando me dijiste que la nuestra fue *la más bella historia de amor que tuviste y tendrás. Una carta de amor* al aire que nunca llegó a mi buzón. *Si alguna vez amaste, si algún día después de amar amaste, fue por mi amor.* Lo sé, Mario, tú me lo dijiste, pero yo ya no. De tanto que lucía, ya me fundí y me apagué. Y aun así, *nunca habrá nada más bello que lo que nunca hemos tenido, nada más amado que lo que perdimos.*

Fuiste el vicio de mi piel, mi pecado, mi castigo. Fuiste lo prohibido. Y me agoté.

Y ahora que agonizo y que ya da igual si contigo o sin ti, *busco en la memoria el rincón donde perdí la razón. Y la encuentro donde se me perdió cuando dijiste que no.* Aquel «no» que impactó en mi barco de papel y me dejó tocada y hundida.

Intenté recomponerme y revestir mi frágil cuerpo de valentía. *Y sin ser, me volví dura como una roca, si no podía acercarme ni oír los versos que me dictaba esa boca.* La tuya, que ya no tenía y tanto ansiaba.

Y así, continué caminando, Mario. Sin ti. *Buscando mi destino, viviendo en diferido, sin ser, ni oír, ni dar. Y a cobro revertido quisiera hablar contigo, y así sintonizar.*

Dejemos nuestra canción a un lado, Mario, y hablemos.

* Este capítulo incluye fragmentos en letra cursiva de canciones que están citadas en la página 253.

35

Te quiero
aún
porque no puedo
no quererte
todavía

Venía cargada de reproches que lanzarte. No quería irme sin antes hacerte ver todo lo que me hiciste llorar, todo lo que fui capaz de sufrir por ti, Mario. Fueron seis años en carne viva. Seis años luchando contra mí misma. Atravesando infiernos, buscando en otros cuerpos lo que ya no encontraba en ti, aquello que tú ya no me dabas. Intentando olvidarme de tu sabor, de tu peso, de la humedad de tu pasión, del *subeybaja* constante.

La muerte vista de cerca como en el albero. A ratos yo era el morlaco sentenciado, a ratos el matador condenado al riesgo. El miedo, la necesidad imperiosa de tenerte, el odio a contrapelo, los celos, la rabia, el orgullo. Y el amor desaforado.

Te quise tanto, Mario, que ahora tengo que quererte tan poco. Y tampoco lo consigo.

Porque pese a todo, y a pesar de todos, aún te sigo amando. A escondidas, sin que me veas, sin que lo sepan. Sueño contigo, estoy en tus brazos. Me recreo en las ensoñaciones del joven onanista que nunca se cansa de autocomplacerse. Me imagino acariciando tu cuerpo, siento de nuevo tu sexo mientras te miro con los ojos entornados. Tus manos juegan con mi boca y se mueven como lo hace tu lengua.

Acompasamos el ritmo, el galope conjunto, giramos para quedar bocabajo y entonces me cabalgas agarrándome con fuerza. Atusando mis cabellos a modo de crin. Embistiéndome de espaldas, dándome placer hasta la extenuación. Y entonces me despierto y recuerdo que todo aquello ya pasó. Que ahora cabalgamos por separado. Que no quisimos tener una vida en común. Y todavía me pregunto el motivo.

Venía cargada de reproches, Mario, porque confiaba en que contigo ya todo era pasado. Sin embargo, cuando pensaba en pretérito, de repente apareció aquella nota doblada en el bolsillo de aquel abrigo guardado de otros inviernos. Un papel manoseado, con la tinta corrida, que me gritaba lo mucho que te extraño todavía. Una entrada de cine con un dibujo y una frase en el dorso. Una cita de otros tiempos. Un tiempo de otras citas.

Tú, que ya no tienes tiempo de acordarte, Mario, que buscas mi calor en otra parte. Tú no sabes que aquello me costó más de 2000 días, pero al final lo logré. Logré que no aparecieras hasta el estribillo de cada canción. Es lo máximo que conseguí. Lo más lejos que te llevé.

Así que, ahora que me despido y que se supone que debería lanzarte a la cara miles de agravios comparativos, los escombros de mis ruinas, cuando debería darme por vencida, ahora, imagino que aún me miras, que todavía sientes algo por mí. Que me quieres todavía. Y mis cenizas se hacen brasas, y las brasas se convierten en troncos y los troncos en pilares que sostienen nuestra vida. Y me apoyo en uno de ellos, lo abrazo como entonces, y me encuentro con la astilla.

Por eso ya no volví más veces, Mario. Porque tenía las manos encarnadas de las heridas. La sangre nunca dejó de brotar, ni tú supiste cómo limar aquellas espinas.

Y ahora me toca llevarte a oscuras y en silencio. Para que nadie se entere de que te llevo tan dentro.

Me toca asfixiarme con tus recuerdos y negar que todavía te pienso. Es turno para otros amores, otras almas compartidas. En nuestro tablero hace tiempo que ya terminó la partida.

Y no quiero llenar la balanza de reproches, Mario, ahora que apenas queda tiempo para nada.

Ahora que estoy en la línea de salida
sólo quería que supieras
que te guardo en mi guarida.
Que conservo del derecho
todo lo que entonces fue revés.
Que nos echaremos de menos,
en silencio.
Esté yo en este mundo,
o no esté.

Porque todos fuimos alguna vez el secreto de
alguien

36

Perdoné rápido
besé lento
Pero nunca me fui

Te confieso que a ratos todavía pienso en ella, quienquiera que sea ella, y no en ti. En qué le habrás visto, en qué te habrá dado, Mario. El pensamiento en espiral se convierte en un bucle sin salida y sin sentido. Porque de nada sirve que me haga tantas preguntas si la respuesta va a terminar siendo la misma:

Tú no estás aquí a mi lado. Yo no estoy ahí contigo.

Y de todos modos me vuelvo a preguntar los porqués. Por qué te aparté de mí. Por qué me hiciste caso. Por qué no me hiciste *casi*. El *casi* me hubiera dado esperanza. En el *casi* cabía una probabilidad, aunque fuese pequeña, de volver a encontrarnos.

Pesa mucho el no verse, el no estar, el sentirse lejos, pero aún pesa más el ver en lo que nos hemos convertido. Somos extraños muy cercanos. Somos amigos muy distantes. Somos todo lo que un día no fuimos.

¿Y si te digo que he vuelto para decirte que me encantaría no morir para estar contigo? ¿Si te contara que todos los malos momentos que pasé merecieron la pena si después hubiéramos coincidido?

Si tú me hubieras querido más,
si yo te lo hubiera permitido.
Si tú me hubieras herido menos,
si no fueras tu mayor enemigo.

Ya no me importa que estés con otra, quienquiera que sea ella. Que beses sus labios que no son los míos y que juntos nunca llegarán a alcanzar lo que hacían los nuestros. Ya no me importa que la cojas de la mano, que le acaricies el pelo, que tus ojos la miren a ella. Que la cabalgues a oscuras o con la luz encendida. Que la observes sin que te vea, que te quedes mirándola como si no fuera ella, sino yo.

Ya no me importa que no sueñes conmigo, mis piernas erguidas ante ti. Mi aliento y el tuyo no se echan de menos ya. Tus dedos en mi espalda hasta que llegan adentro. Ya no te hacen falta. Tocar este cuerpo convertido en guitarra. Tu sexo y mi boca ya no se extrañan. Tu lengua y la mía no se entrelazan.

¿Y sabes una cosa? Ya no me importa. No me importa ya que no me quieras. No me importa ya nada. Ni siquiera venir y decírtelo a la cara. Ya no me importa mentirte si así sobrevivo sin ti.

37

—Tengo novio, Mario.

Sin preparación, sin apercibimiento, sin anestesia. Como todo lo que nos ocurrió siempre. Me acerqué a ti un día y te lo dije. Tras recibir aquellas tres palabras, me lanzaste la mirada victimista que tanto conocía, esos ojos tristes que siempre me clavabas salvo cuando se encendía la espita que desembocaba en las sábanas revueltas y las feromonas batiéndose el cobre en la habitación.

—¿Cómo se llama? —dijiste con un hilo de voz mientras tus labios dejaban entrar el aire con cierta dificultad y tú te empeñabas en disimularlo esbozando una ligera sonrisa. En la comisura de los labios se te abrieron dos oquedades minúsculas por las que se escapaba la rabia por tener que admitir que otro ocupaba tu lugar.

—Alejandro —respondí, y sentí cómo el cielo me aplastaba. Y ya no había marcha atrás. Ya está.

«Ya lo sabe —pensé—. Ya nunca va a querer volver conmigo.» Como si a aquellas alturas todavía estuviera en nuestros planes volver a aquello, a rellenar el cenicero.

No he sido una mujer que me haya caracterizado por aprender de mis errores, que han sido muchos. No importaba lo que ya hubiera llorado o sufrido por ti. Siempre tocaba fondo al reincidir. Volvía a tropezar con la misma piedra por si esa nueva vez al fin ya no dolía.

Ni siquiera aquella vez que me confesaste que estabas saliendo con alguien evitó que más tarde fuera yo a anunciarte que también tenía un sustituto para ti. Como si aquel gesto fuera a cerrar tu puerta inaccesible. Como si aquello fuera a sanar la herida, como si ya no escociera.

Tampoco me sirvieron de mucho las palabras de Vega. Esas en las que me aconsejaba mantener las manos apartadas de la cicatriz. Imposible. Caso omiso. Antes o después, terminaba por hurgarme en la herida, que siempre volvía a sangrar.

Sin embargo, ahora que mi posición es la de un viejo sabio en el lecho de muerte, puedo decirte que algo aprendí en todo ese tiempo. Las mil y una conversaciones que me esforcé en que mantuviéramos, las subidas y bajadas de la noria de mi humor, los recuerdos distorsionados, los sueños inalcanzables, las horas de desvelo dieron los frutos que hoy recojo. Después de colocar la venda ante los ojos y hacer esfuerzos para no mentir, he llegado ante ti.

En realidad todo sirvió para que llegara hasta aquí. Las palabras no cayeron en el olvido, aunque tú tampoco.

Y ahora sé que tengo que dejarte ir. Algo que debí hacer mucho tiempo atrás.

—Me alegro mucho por ti, Malena. Espero que te haga feliz.

«¿Qué será eso de ser feliz?», pensé yo mientras tú continuabas con tu discurso de exnovio bien educado.

—Debes de estar en las nubes. Feliz en el trabajo, con tu familia y amigos y, ahora, también enamorada. Disfruta porque es tu momento —añadiste sonriendo.

Ni una muestra de celos o de curiosidad por saber cómo era mi nueva pareja, mi nuevo amante. Nada. No esperaba una escena dramática ni que te pusieras a llorar, pero aquella actitud tan ortodoxa, tan políticamente correcta, tampoco sirvió de alivio a mi castigado corazón, aunque ahora disfrutara del consuelo de otras manos.

Y entonces lo volví a hacer. Ya no recordaba la de veces que lo había hecho antes. Y te pregunté. Por si aquella reacción tuya dándome el beneplácito para que marchara con otro no hubiera sido suficientemente elocuente.

—¿Y tú? ¿sigues bien? —Traté de sonreír y de aportar cierto aire de tranquilidad y entereza. Mentira.

—Ahí sigo. No me quejo. —Siempre con tu tono de resignación en una vida que, vista desde fuera, se nos antojaba muy plácida al resto de los mortales.

—¿Eres feliz? —te pregunté con un gesto que temía por adelantado tu respuesta positiva.

—Mujer, la felicidad son momentos. Tú siempre le has dado muchas vueltas a esa cuestión. Yo me conformo con lo que tengo, Malena. No soy tan exigente.

«¿Te conformas?», pensé. ¿Qué significaba eso? ¿Habías bajado el listón tras nuestra relación, Mario? Pero continuaste tu discurso y fuiste disipando mis dudas por momentos.

—Al final, uno tiene que intentar estar bien, disfrutar de lo bueno y no complicarse demasiado la vida.

Ahí estabas tú, Mario, mi héroe durante tantos años, el protagonista de todos mis sueños, mostrándose terrenal y mundano. Tan corriente, tan poco extraordinario.

Y lo cierto es que tú siempre habías sido el mismo. Era mi agudeza visual la que no conseguía acertar con tus contornos difuminados.

Eras el mismo que estando conmigo no había dejado a su novia de toda la vida por miedo al destierro familiar y al castigo del qué dirán. Hasta que un día, harta de tus desmanes y de tu falta de tacto y sensibilidad, se cansó y te abandonó ella a ti.

Eras el mismo al que todo —incluidas las mujeres— le había venido dado sin hacer demasiados esfuerzos y quizá por eso nunca lo valoraste. El mismo que fue siempre a la suya, como cuando te dejaste querer por una nueva compañía a pesar de que pregonabas que lo que deseabas era estar solo. El mismo que no quería familia, pero que finalmente, estoy segura, tendrá un bebé con otra. Siempre fuiste el mismo, pero yo era incapaz de verte.

Y en realidad, Mario, nunca has engañado a nadie porque siempre has sido una mentira. Y yo me la creí.

Que estuvieras con ésta o con aquélla debería haber sido lo de menos para mí porque lo de más era que nosotros ya no estábamos juntos. Sin embargo, no pude evitar, una y otra vez, insistir en buscar la cuadratura del círculo de esta obsesión.

Nunca llegaste a entender el motivo de mi frustración. La sensación asfixiante de que yo te hubiera querido más. Y mejor.

Una pena, pensaba yo, que tú te perdieras eso. Que me perdieras a mí.

Te quise siempre con urgencia, Mario. Quizá, por eso, el nuestro fue un amor de cuidados intensivos.

Que maduras con los golpes, decían
Quemaduras si me incendias
Quema la piel, dura la herida
Pido perdón
Me doy por vencida

38

A partir de ahora ya sólo habrá recuerdo

Así terminó mi historia con Mario. Tanto ruido para tan pocas nueces.

Aquel hombre me gustaba más que comer con los dedos. Yo le gustaba tanto que me comía con los suyos. Las cosquillas trepaban por mis piernas en cuanto lo veía aparecer. Mario era el diapasón de mi instrumento, el órgano más afinado, el protagonista de mi cuento.

Era tanto que aquella historia sólo podía ir a peor. Los inventos de la mente para adornarlo todo, las justificaciones que lo dejaban a él siempre en tan buen lugar y a mí por debajo de su pedestal. Yo, nunca a su altura. Él, siempre insuficiente. Incapaz de hacerme feliz aunque yo me empeñara en lo contrario.

De todo aquello me di cuenta después. Antes que tú, Alejandro, hubo otros intentos de ser feliz. Me aferraba a nuevos amores con la esperanza de que me fueran a borrar las cicatrices. Siempre resultó maquillaje. Aun así, me vino bien cambiar de aires, buscarle en otros cuerpos hasta que finalmente me encontré contigo.

En aquel momento podríamos decir que me encontraba como ahora, en la uci. Débil, cansada, vulnerable, frágil, triste. Casi infeliz. Menos mal que nunca me dejé del todo.

Continuaba con mi vida aparentemente normal. Seguía cumpliendo en el trabajo, viajando mucho y tratando de ocupar las horas del día para que al llegar a casa el cansancio me diera por vencida y no pudiera entretenerme en pensar en ti.

«Ha llegado un chico nuevo. Viene de fuera. No es de Madrid.» Ya ves. Como si en Madrid alguien fuera del todo de aquí. O alguien que llegue de fuera no se sintiera como en casa.

«Es mono. Un poco raro. Habla poco. No sé. A ver qué tal resulta. Se llama Alejandro.» Desde el departamento de marketing recibí un informe preciso de tu llegada a la empresa. Gracias a recursos humanos supe también que tenías varios años de experiencia acumulados fuera de España y también supe tu edad. No sé por qué me llegó toda aquella información tan rápidamente.

Yo seguía pendiente de mi ombligo lamiéndome las heridas, así que no reaccioné de manera efusiva cuando nos presentaron. Pasaron algunas semanas hasta que coincidimos al fin en la convención anual del grupo.

Lo cierto es que al verte llegar me di cuenta de que eras mucho más atractivo de lo que recordaba. La primera impresión que me había llevado de ti no había sido del todo cautivadora; más bien al contrario. Recuerdo tu camisa de padre, un pantalón de pinzas y el pelo algo encrespado con una longitud aún por definir, ni largo ni corto.

Hasta aquel momento, todas mis calificaciones de belleza masculina las hacía pasando los atributos masculinos del susodicho por la «escala Mario». No era fácil salir airoso de aquella comparativa cuando Mario era considerado por mí como un ser etéreo y fuera de lo común. Mi Hombre de Vitruvio, el canon de belleza imbatible, las proporciones exactas.

Mario, el hombre inexistente más perfecto nunca antes inventado. Y yo fui la creadora, la artista, su Leonardo da Vinci, la mujer de su Renacimiento. Lo creé a mi imagen y semejanza para que cuadrara exactamente con las cotas de mi sensibilidad y belleza. Mario, mi farsa más humana.

Y tratando de recuperar el tiempo perdido, pasaron por mis sábanas cuerpos más hermosos que el suyo, más masculinos, rostros más carismáticos. Pero daba igual porque no eran él.

Mario me dejó «cerrada por derribo», aunque Vega —siempre acertada en su diagnóstico— me advirtiera de que en realidad me dejó «follada por derribo». «¡De cerrada nada, guapa! —me decía sonriente y añadía—: Que tú habrás llorado mucho por el tonto de Mario, pero has revuelto tu cama con otros, y muy bien que has hecho. Sólo le agradezco a Mario que te dejara tan hecha polvo que tuvieras que buscar consuelo en otros brazos para poder salir de aquel agujero.»

La convención de la empresa fue un evento aburrido y largo como todas las convenciones anteriores, y en aquella ocasión únicamente la cena fría salvó la tortura previa de datos, resultados, Ebitdas y otras cuestiones que sólo interesaban a quienes obtenían beneficios en proporción. No era mi caso.

Nos encontramos en el cóctel y nos tomamos una copa de vino juntos. Te pregunté qué tal llevabas la mudanza, ¿te acuerdas? Me dijiste que ya estabas aclimatado a Madrid, que te parecía un lugar muy acogedor, pero que todavía no conocías muchos sitios.

Tiraste el anzuelo y yo piqué. Comenzaron los cruces de mensajes recomendando cines en versión original, sitios para ir de cañas, restaurantes, museos. Hasta que un día te atreviste y me invitaste a ir contigo.

Me pillaste tan desprevenida que ni siquiera me dio tiempo a ponerme nerviosa. Viniste a recogerme a casa y elegimos varios sitios sobre la marcha para ir tomando pinchos. Lo de menos era el lugar. Lo de más era que el tiempo volaba.

Así comenzó lo nuestro. Algo tan especial, tan fácil que pasaba desapercibido.

39

Estamos rotos por otros. Todos. Nadie se libra.

Yo, sin ir más lejos. Estuve tanto tiempo rota por otros, Alejandro, que no supe darte la importancia que tenías. Fui incapaz de colocarte en tu sitio porque llevaba demasiado tiempo desubicada. Seguía sangrando por la misma herida, quebrándome por los mismos recuerdos; unos recuerdos tan difusos como distorsionados. Las escenas acudían a mi mente, una y otra vez, casi veladas, pero la película —a pesar del traicionero esfuerzo de mis tercos pensamientos— ya nunca volvería a ser como aquel primer visionado. La memoria es cambiante, tramposa y falsa; siempre te dice lo que quieres escuchar. Y a mí me gritaba que nunca volvería a querer a nadie de aquel modo. Los besos no tendrían una intensidad como tenían aquellos otros. No volvería a arder. No temblaría al sentirme de nuevo deseada. No me excitaría con nuevos alientos. No. Nada. Nunca.

Lo que siempre se olvidaba de recordarme mi frágil memoria es que las mujeres de verdad dan miedo a los hombres de mentira.

Y él, Mario —tu mayor enemigo—, era una mentira enorme. Falso su magnetismo hacia mí, que únicamente tenía valor porque no era algo seguro. El poder de lo efímero, la angustia vital, el deseo de lo inalcanzable, la batalla perdida contra el tiempo. Falsa la pasión con fecha de caducidad, el tren a punto de partir, la última vez de todo. Falso el amor que se esconde entre las líneas de lo sincero, las palabras manidas que encajan como un puzle en la desesperación del otro. Falsa la risa y el llanto. La idealización de lo prohibido, la frustración no aceptada, la película sin final feliz. Falsa la espera. La soledad de la víctima, el mendigar el consuelo, lamerse las heridas. Falso todo porque nunca existió.

Me costó demasiado tiempo entender lo ocurrido. Y lo que sucedió fue sencillo, algo tan antiguo como la historia del hombre. Ocurrió que le quise demasiado. Sin filtro ni control. Lo quise a él y quise todo lo que no había vivido antes. Lo quise por todas mis carencias, a pesar de mis carencias, por culpa de ellas. Lo quise tanto que no estuve a la altura. No estaba preparada. Lo amé por encima de mis posibilidades. Y me jugué tanto en aquella partida que casi me costó la salud. Y casi me costaste tú, Alejandro.

Siempre me ha gustado viajar en tren porque puedes contemplar lo que ocurre a ambos lados de la vía; tienes amplitud de miras. Puede parecer una tontería, pero no lo es. Te permite tener una perspectiva que no alcanzas en otros medios de transporte, donde la mirada queda más encorsetada.

Me embeleso mirando las vías y me enamoro de las traviesas. Si existe otra vida, si existe la reencarnación y pudiéramos elegir, a mí me encantaría reencarnarme en traviesa. Son fascinantes. Desde su nombre, tan contradictorio como su uniformidad y sosiego. Tantas vidas que contar. Tantos viajes permitidos. Testigos de las historias, sostén de la vida.

Mario y tú viajabais en trenes diferentes, por distintas vías, con variados destinos, pero mi estación era la misma. Y no pude evitar recordar cuando era él y no tú quien hacía morada en ella. Aquel cambio de andén traumático, las traviesas poniéndome la zancadilla, mis rodillas sangrando hincadas en la gravilla y la madera hinchada tras la lluvia que durante tanto tiempo cayó sobre mi cara mientras brotaba de mis ojos.

Y ahora que abandono éste y todos los trenes que podrían haber pasado, que me cierran la estación, me despido de los dos y no me arrepiento de nada. Gracias a él pude cerrar los ojos y volar, gracias a ti los abrí de nuevo. Nada hubiera sido igual sin aquella lacerante experiencia previa.

¿Sabes, Alejandro? Sólo nos rompen el corazón por primera vez una vez. Después ya estará siempre roto. Remendado, cicatrizado, pero roto. Para siempre. Es lo más parecido a perder la virginidad. Ya no vuelves a ser como antes. Nunca.

Me alegro de que no fueras tú quien me lo rompiera aquella primera vez.

De aquella época aprendí que si hay algo que no existe es el olvido. Siempre aparece y permanece. A modo de recuerdos.

Estamos rotos por otros
que somos nosotros mismos

40

Nunca voy a ir a decirte esto. No voy a explicarte lo que me sucedió contigo, Alejandro. Lo mucho que sentía a pesar de que no era capaz de expresarlo con palabras. No voy a escribirte una carta en la que enumere, una por una, todas tus virtudes, cada una de las cualidades con las que me conquistaste. No subrayaré ni pondré en negrita tu sensibilidad, tu empatía, la capacidad para entenderme sólo con una mirada. No lo voy a hacer. No voy a dejar por escrito lo que debí decirte aquel día. Lo que merecías. No pienso destacar lo mucho que me querías, lo feliz que me hacías, tus manos en mi espalda, el aliento de madrugada, tu voz de terciopelo, tu pecho acogedor, tu sexo en mi cuerpo.

No quiero dejar rastro del amor generoso que nos profesamos. Ese que nos alcanzó como siempre nos habían contado, sin llamar, sin previo aviso. Una relación que llegó de puntillas, construida poco a poco, resurgida de nuestras propias cenizas. Unas primeras citas marcadas en el calendario después de que sucedieran, cuando fuimos conscientes de lo mucho que significaron aquellos primeros días.

Ahora que es posible que muera, no pretendo decirte que antes hubiera matado por ti. Nunca me atreví a decirlo en alto por miedo a que se desvaneciera el hechizo. Por temor a que se esfumara la magia que, por primera vez en mi vida, era real. Un amor no inventado, no idealizado. Un amor de carne y hueso, que miraba de frente, sin costuras ni dobleces, sin mensajes que ocultar. Unos ojos cristalinos como mi confianza en ti.

No voy a recordar ahora, que ya quizá no pueda tenerte, la paz de tus brazos, la agitación de tus manos, tus labios buscando, tu lengua escrutando. El sexo con amor más tierno que nunca encontré. El amor con sexo más apasionado que nunca pude imaginar.

No voy a decirte eso porque acabo de hacerlo.

Y que el mundo siguiera girando
Y la Tierra siguiera rotando
Y tú y yo nos quedásemos
Clavados

41

Yo, contra la pared. Tú, como si de un policía cacheando a un delincuente se tratase. Te fuiste acercando lentamente. La energía y la conexión eran palpables en aquel salón con vistas a un jardín privado. Me besaste el cuello y pude sentir la humedad de tu lengua. Adiviné el poder de tu entrepierna cuando te inclinaste aún más sobre mí.

Tumbada en la cama con un sujetador negro que me realzaba el busto y una braguita-tanga de encaje. Envolviendo mis ojos tu corbata. No podía ver nada, sólo sentir.

Sentir tu lengua en el cuello, la boca, el pecho mientras apartabas mi ropa íntima con la mano. Comenzaste a lamer mis ingles, muy cerca de mi intimidad pero sin llegar a rozarla. Colocaste las manos sobre mis pechos y comenzaste a acariciarlos por encima. El movimiento de mi cuerpo provocaba que por momentos mi pubis rozara tu cara. Me quitaste el sostén y, ahora sí, tocaste con deseo la piel rosada de mis pechos para centrarte definitivamente en mi sexo.

Un gemido se escapó de mi boca al notar como introducías tu lengua dentro de mí. Tu boca degustaba aquel manjar lentamente y yo estaba cada vez más excitada. Te agarré de la cabeza pidiéndote sin palabras que siguieras regalándome más placer. Noté como apretabas aún más los labios contra los míos y me incorporé para quitarte el pantalón. Quedó al descubierto tu abultado sexo. Lo agarré con la mano y me entretuve un instante con él hasta que terminó en mi boca.

Lo había deseado desde que me rozaste con tu lengua. Quería tenerte dentro, Alejandro, sentirte. Y lo conseguí, al fin.

Me embestiste como nunca antes lo habías hecho. Acompañabas tus bruscos movimientos con preguntas que no encontraban más respuesta que mis jadeos. Cuando ya no pude más exploté mientras tú me mirabas desquiciado. Hasta que llegó también tu clímax y todo tu cuerpo obedecía a mis sacudidas de placer.

Tengo un tequiero
esperando
en la punta de la lengua
para cuando vuelvas
a rozarla

42

Entraste en silencio. Apenas noté que girabas la llave para abrir la puerta de la entrada de casa. Llegaste más temprano de lo esperado. Era nuestra primera noche tras la ligera pausa que nos habíamos tomado después de aquel episodio de celos, tu talón de Aquiles. La única pelea que tuvimos, Alejandro.

—Me ha escrito Carlos. He quedado con él mañana por la tarde para devolverle sus cosas —comenté de pasada para no darle importancia al siempre espinoso asunto de las exparejas.

—¿Por qué tienes que quedar con él? ¿No puedes dejar lo que sea que le tengas que dar al portero? ¿No hay garita de seguridad en su urbanización? Tendrá que tener si está tan forrado.

De repente te convertiste en un desconocido. Nunca te había visto hablar con tanta rabia de alguien en los meses que llevábamos juntos. Respiré como hacía años me habían enseñado en pilates e intenté que entraras en razón.

—No estarás celoso, Alejandro —te dije con voz calmada—. Sabes de sobra que no siento nada por él. Carlos es pasado.

—Será pasado, pero quedas con él, Malena.

En ese momento de la conversación, tu cara ya estaba desencajada y habías conseguido ponerme de mal humor.

—Voy a quedar con él porque tengo que devolverle una mochila con sus cosas, que tengo en casa desde hace más de un año.

—¿Y vais a ir a cenar o te ha invitado a su casa?

El retintín de tu pregunta me cabreó aún más y exploté por primera vez ante tus palabras.

—Pues mira, es probable que me vaya a su casa y que no salga de allí en toda la noche. ¿Es eso lo que quieres escuchar? Porque, si es eso, te lo digo y se acabó la discusión.

Mi enfado aplacó tus malos modos e intentaste reconducir la conversación.

—Joder, Malena, lo siento, pero quiero que me entiendas. Carlos es un tío muy guapo, con un puestazo. Es perfecto... Y yo…

—Tú eres mi novio, Alejandro —te interrumpí—. El hombre a quien he elegido para vivir. Carlos ya no me interesa.

—¿Y por qué vas a verle? —me interpelaste.

—¿Y por qué no puedo ir? Me estás haciendo sentir culpable por algo que ni siquiera he hecho.

—No pretendo que te sientas mal, pero, Malena, la gente no queda con sus exnovios.

—¿Ah, sí? ¿Y eso quién lo dice? ¿La convención de Ginebra?

—Joder, Malena, todo el mundo lo sabe. Son cosas que no se hacen y punto.

—Pues te voy a decir una cosa, Alejandro, para que te quede muy claro. Entonces, yo no soy como todo el mundo.

Me di la vuelta y me fui a la cama. Esa noche dormimos espalda con espalda y al día siguiente te pedí por favor que no vinieras en unos días porque necesitaba mi espacio.

Saliste el martes por la mañana de casa y por la tarde —como te había anunciado— acudí a la cita con Carlos. Quedamos en un bar de mi antiguo barrio, donde tantas veces nos habíamos visto. Apareció radiante, como siempre, con ese aire desaliñado que tan bien le quedaba. Un dandi del siglo XXI. Despeinado, con una camiseta blanca que dejaba ver ligeramente el tatuaje que había acariciado tantos días, los vaqueros algo caídos y más ajustados de lo que recordaba y unas zapatillas urbanas. Ahí estaba Carlos, un tipo con suerte, listo para triunfar, como siempre.

Nunca he tenido muy claro si creía en el destino o en el azar. Con los años fui comprendiendo que el mundo de las casualidades juega con nosotros y nos regala momentos fabulosos como el que yo estaba a punto de vivir.

Nos tomamos varias cañas y así fuimos descubriendo lo que había sido de nuestras vidas desde que ya no salíamos juntos. Le conté que ahora vivía contigo y que nos iba muy bien. No era el mejor día para hablar del tema, pero era cierto. Hasta aquel momento no habíamos tenido ni un roce, ni una pelea.

A la tercera cerveza, Carlos me confesó que había vuelto con su exnovia, «una mujer manipuladora y de carácter fuerte». Ésas fueron sus palabras para definirla cuando, después de unas semanas de haberlo dejado con ella, comenzamos a quedar.

—Volvimos en verano y…, bueno, en realidad estamos comprometidos. —Sus palabras destilaban cierto aire de justificación.

—¿Comprometidos? —pregunté divertida mientras se me escapó una sonora carcajada—. ¿Tú, casarte? ¡Pero si eras el antibodas! ¿Qué te ha pasado?

—Bueno, tampoco era un talibán de las bodas.

—¿Cómo que no? Si odiabas ir incluso de invitado. —Lo miré a los ojos, le guiñé un ojo y con la complicidad que mantuvimos durante nuestra breve pero intensa relación le susurré—: Fue su condición para que volvierais, ¿verdad?

—Eres la hostia, Malena. —Bajó la mirada, dobló en varios trozos la servilleta que tenía en la mano y sonrió—. Ya sabes que Elsa siempre ha sido muy suya.

—Una mujer con carácter —añadí asintiendo con un gesto amable.

—Con mucho carácter, sí —repitió él mientras apuraba el último sorbo de la cerveza.

—Siempre supe que volverías con ella, Carlos. Sólo una mujer como Elsa sería capaz de atraparte. Y prepárate, que el bebé llegará pronto.

—En realidad está de ocho semanas, por eso se ha precipitado todo y nos casamos el mes que viene.

—¡Bravo! —grité—. Ésta sí que es una buenísima noticia. ¡Enhorabuena, de corazón!

—Gracias, Malena. Sé que te alegras de verdad.

—Bueno, ella me sigue pareciendo demasiado mandona para ti, pero tú te lo has buscado. Te va la marcha, muchacho, siempre fue así.

Le volví a guiñar un ojo, levanté mi vaso y brindamos con la caña recién tirada que nos acababan de servir.

—¿Sabes cuándo me di cuenta de que lo nuestro no iría a ningún sitio y que volverías con ella? —le pregunté curiosa.

—¿Lo sabías? —dijo sorprendido.

—¡Claro! Desde aquella primera vez en tu casa.

—¿La que te quedaste a dormir?

—¡Ésa!

—Pero si estuvo genial, Malena —exclamó sorprendido.

—Estuvo genial pero fue sólo sexo; cómplice, pero sexo. A Elsa estabas enganchado. Y si no, ¿por qué si hacía varios meses que se había ido de tu casa todavía no habías ocupado su espacio? Cuando entré en tu habitación, vi que su lado del vestidor estaba intacto y junto a esos estantes vacíos tu ropa estaba doblada sin rebasar las líneas de su contorno. Y el baño, con tus cosas agolpadas en el lavabo izquierdo mientras el derecho estaba desnudo. Estaba tan claro que la estabas esperando, Carlos…

—Pero, entonces, ¿por qué seguiste conmigo? —preguntó asombrado.

—Porque me gustabas, me hacías reír y, bueno, he de reconocer que el sexo estaba muy bien. —Le sonreí y volví a tomar un sorbo de cerveza.

—Estaba muuuuy bien. —Asintió con entusiasmo.

—Y no nos enamoramos. Quizá fue un regalo para los dos. Por eso no sufrimos tanto —sentencié.

Así transcurrió la cita con Carlos. Eso es lo que ocurrió, el motivo de nuestra primera y última pelea hasta la fecha. Una tontería mayúscula. Nunca te conté lo que hablé con él porque creo que no te hubiera hecho bien saberlo. O sí, quién sabe. Pero yo también me había sentido ofendida por tu reacción y decidí callarme, Alejandro.

Entraste en silencio, apenas oí girar la llave de la puerta de casa. Yo estaba de pie en la cocina. Me abrazaste por la espalda y me lanzaste al oído el *te-quiero* más sincero y profundo que ningún hombre me haya dicho. Me di la vuelta y nos besamos. Hasta hoy, Alejandro. Para siempre.

Cambia mi gesto
Envenenado
Cuéntame cuentos
Borra el pasado
Bébeme a besos
Sigue mi rastro
No estoy perdida
Ya te he encontrado

43
MÍA
—

¡¡¡¡Ey, ey, ey!!!! Male, no te duermas. Escúchame.
¿Puedes oírme? Soy yo, Mía. Quiero que me sigas
hablando y escuchando como hasta ahora. No dejes
de respirar, ¿me oyes? No dejes de hacerlo. Estoy
aquí contigo. No estás sola.

Ahora no te puedes morir. No te toca. Eres muy
joven, jopé. Pero ¿qué clase de Dios tenéis los humanos para que consienta que alguien tan joven pueda
irse en un accidente de tráfico?

La verdad es que la habitación en la que te tienen es una especie de cámara de torturas. No me
extraña que de vez en cuando algún médico entre
alarmado por un posible empeoramiento de tu estado. He visto barracones en Guantánamo más acoge-
dores que esta fría sala de hospital.

¡Y la ropa que te han puesto! Como si no fuera ya
bastante humillante hacer vuestras necesidades fue-

ra de casa, encima os ponen un vestido de un color indescriptible y con la espalda al aire. Favorece tanto como ponerle un chubasquero a un teckel. Ahora entiendo que os llamen pacientes.

¿Cómo va a tener alguien buena cara estando hospitalizado? Es imposible. No hay manera de llevar esa bata con dignidad.

Siempre he pensado que, en ciertos momentos de la vida, es mucho mejor ser una perra. A pesar de tus cabreos cuando se me escapaba el puntito en casa, yo siempre —casi siempre— hice mis necesidades en la calle a la vista de todos, así que nunca tuve ningún problema con hacer mis cositas delante de extraños.

Pero tú, Male, que siempre te has escondido de las miradas ajenas. Que te cambiabas en el gimnasio agazapada en la taquilla para no mostrarte en público. Pobre niña, ahora con el trasero al aire y mostrando tus pechitos a todo el que se pasa a hacerte una inspección.

Seguro que esta experiencia te sirve para el futuro. No sólo vas a recordar este pasaje cuando al mirarte desnuda ante el espejo veas las marcas del cinturón de seguridad incrustado en tu cuerpo. Ni la cicatriz que te quedará en la pierna cuando se cure la herida tras la cirugía que te recompondrá la tibia y el peroné y que te volverá a colocar el tobillo en su sitio. Cuando vuelvas a cruzar por los detectores de seguridad en los aeropuertos ya nunca volverá a ser lo mismo, Male.

Tú no te vas a ir, ¿sabes? No te vas a rendir porque tienes todavía mucho que hacer ahí. Todavía no lo sabes pero vas a ser madre. Tendrás un bebé precioso. Y seguirás volando, pero ya no tendrás miedo por ti, sino por tu pequeño. Y vas a compartir tu vida con Alejandro, que va a ser un padre estupendo. Las ojeras os decorarán la cara durante el primer año de vida de vuestra criatura. Y no os importará. Bueno, sí, pero aun así os compensará cuando lo miréis a los ojos y le veáis sonreír y comprobéis lo que habéis sido capaces de hacer juntos. Y llegaréis a la misma conclusión a la que llegué yo cuando os vi juntos por primera vez y comprobé cómo os mirabais: que formáis un equipo estupendo.

Alejandro te cambió los esquemas desde el principio. Para empezar no era ni muy alto ni moreno, como rezaba tu prototipo de hombre, así que en tu estructura mental su físico lo incapacitaba para imaginarlo como pareja futurible.

Era un tipo que parecía normal, pero que no lo era. Castaño, de piel clara y ojos pardos. Una descripción en la que podrían entrar muchos humanos, pero en la que sólo él encajaba contigo.

Lo mejor de Alejandro fue que te enseñó a amar bien. A ser querida. Todo lo anterior, salvo alguna honrosa excepción, había sido pienso de garrafón, la marca blanca del amor. Una mierda pinchada en un palo, Male.

Y eso, a pesar de que tú pensabas que con Mario habías alcanzado las cotas más altas del amor pasional.

Ay, *putoMariodeloscojones*. Siempre fue un maleducado. No cambió, siempre fue el mismo. Eras tú la que eras incapaz de verlo como un ser mortal. Un ser que comía con ansia y que nunca te ofrecía ni a ti ni a nadie antes de comenzar. Un ser que, a pesar de su educación en colegios caros, mascaba chicle con la boca abierta emitiendo sonidos insoportables. Un ser que siempre andaba un paso por delante. Un ser normal y corriente. Muy corriente. A ratos vulgar, aunque tú no lo vieras.

Alejandro, en cambio, te quiere y te lo ha demostrado siempre. Tú no lo sabes, pero hace guardias día y noche ahí fuera, sentado en una silla del demonio. Pregunta a los médicos, apenas come y lleva días sin dormir. Llora a escondidas porque necesita desahogarse, pero nunca delante de nadie para no alarmar.

¿Sabes una cosa, Male? El otro día bajó un buen rato a la capilla del hospital. Alejandro, que se jacta de no ir nunca a misa. El apóstata del barrio. El *en-*

fant terrible del colegio de curas. Alejandro desesperado e hincando sus rodillas ante la imagen del Cristo en la cruz para que tuviera algo de compasión y te devolviera a tu vida. Y a la de él.

Tendrías que haberlo visto. Con las lágrimas cayéndole por la cara e implorando conmiseración a un dios en el que no cree. Y todo por ti. Para recuperarte y que todo vuelva a ser como antes.

Siempre he estado enamorada de él. Fue tu novio-mío favorito. Mi golden retriever, un chaval inteligente, tranquilo, bondadoso, amigable, dócil y confiado. Es un amor. Siempre lo ha sido. Alejandro, tu perro guía. Tu lazarillo.

Por eso tienes que recuperarte, para volver a verlo.

Male, todos antes fueron un simulacro. Alejandro es el incendio.

44

Hacía calor. Era verano. Hasta el interior de la casa llegaba el eco del ladrido de los perros que hacía retumbar las cuatro paredes del salón. Adornaba la sencilla estancia un sofá de escay granate sin voluntad alguna de disimular que se trataba de una mala imitación al cuero. Sobre el respaldo, varios alfileres se afanaban en mantener clavada a la polipiel unos tapetes de ganchillo que ya entonces amarilleaban en los extremos ribeteados. Un mantel a juego cubría la mesa con seis sillas donde nos sentábamos en Navidad. Frente al sillón, se erigía imponente la única televisión de la casa que disponía de un trasero más prominente que el de la vecina de la tía Antonia.

A través de la solitaria ventana, con las hojas abiertas de par en par, penetraba un haz de luz que atravesaba un sencillo visillo blanco. La fina tela aislaba tímidamente aquella sala del patio exterior y vestía sutilmente la ventana semidesnuda. Las motas de polvo bailaban al paso de la estela de esos rayos de sol que habitaban el espacio iluminado. Me encantaba cruzar la mano a su paso en un intento de hacer sombras chinescas al vacío. Mis dedos al trasluz adquirían una belleza inusitada y me hacían fantasear con otras manos, otra edad, otros momentos que vendrían después.

De entre mis recuerdos de la casa vieja surge con nitidez la habitación a modo de buhardilla de la planta de arriba. Una estrecha escalera dificultaba el ascenso a la guarida secreta del abuelo. El refugio al que escapaba para fumar a escondidas pitillos sin filtro y mirar las fotos de las revistas prohibidas, que no existían de puertas hacia fuera.

De aquellas ventanas se escapaba música de la época, el amplio cancionero español, pero, sobre todo, sonaban las notas de las canciones de Manolo Caracol. A veces acompañado de Lola Flores, otras dejando en silencio y temblando la calle al son de sus fandangos.

Era verano, hacía calor y yo tenía trece años. No tenía nada mejor que hacer a las cuatro de la tarde de aquel martes de finales de junio. Y me puse a cabalgar sobre la almohada. Era la primera vez que lo hacía. Probablemente impulsada por el sueño de la noche anterior, que me había despertado envuelta en sudor y en pensamientos que me hacían hervir la entrepierna con sus cosquillas.

Llevaba dos días de vacaciones y ante mí se presentaba un verano de corrillos en la plaza del pueblo, pipas en los soportales de la iglesia y largas noches en el cine de verano dejándome ver ante los mozos del pueblo.

Aquel caluroso estío mi cuerpo despertó a su amor propio y también comenzó a tener curiosidad por los cuerpos ajenos.

La casa de los abuelos donde veraneábamos cada año era amplia y austera, sin detalles caros ni ornamentos. En el huerto donde plantaban tomates, junto a la higuera, construyeron algo parecido a una piscina. Era una charca revestida con azulejos sobrantes de varias reformas, un abrevadero donde entretenernos y sofocar el calor abrasador de las siestas a más de 40 grados.

Yo prefería la playa, pero la costa llegaría muchos años después, cuando mis padres alquilaron un apartamento frente al mar. En realidad, frente al mar estaba el edificio de delante de nuestra casa. Nosotros estábamos situados detrás de un bloque de pisos con vistas al mar, pero técnicamente cerca del agua.

Aquel verano en el pueblo di mi primer beso con lengua. Pensaba que sería la última de todo el grupo de amigas en experimentar aquella sensación, pero llegó él para evitarlo. Aritz, el primo de Carmen, vino a pasar una semana para disfrutar de las fiestas.

La noche anterior habíamos bailado una canción horrible en la verbena y me acompañó a casa cuando el baile se terminó y las luces se apagaron. Al día siguiente, en el descanso de la sesión doble del cine al aire libre, el chico del norte se acercó a mi butaca y me pidió que lo acompañara.

Me cogió de la mano y me llevó a una zona oscura por la que sólo pasaba el personal que trabajaba allí. Me apoyó contra la pared de cal descascarillada en la parte inferior y me apartó un mechón que me cubría la cara.

—Me gustas, Malena. ¿Quieres salir conmigo?

Después supe que aquélla era la fórmula estandarizada para pedir permiso antes de proceder al primer contacto del pseudoencuentro carnal. Su voz temblaba y no sabía qué hacer con la mano, que continuamente se pasaba por la frente para terminar en el flequillo.

No le contesté, pero acerqué mi boca a la suya y me dejé llevar en aquel primer contacto de principiantes, en el que no me quedó muy claro si el beso húmedo me producía placer. Tras una breve pausa en la que nos miramos y sonreímos, me cogió del cuello y volvió a aproximarse.

Aritz resultó ser un gran besador y mis labios corrieron una y otra vez a su encuentro. Le ofrecí mi lengua para que fuese acariciada por la suya y nos enredamos en un baile cada vez más acalorado.

Estuvo presente durante todo el verano, pero aquella madrugada de estreno se acentuó. Olía a jazmín y galán de noche, a hormonas y adolescencia. El aire apenas corría y la cálida brisa que nos acariciaba de vez en cuando no hacía más que acentuar el pudor y la candidez de unos cuerpos que rezumaban libertad e inexperiencia.

Aquellos días interminables de verano, como todos a los que reserva un espacio destacado la caprichosa memoria, fueron tiempos de dicha. Teníamos la cabeza llena de pájaros y toda la vida por delante. Una vida que a ratos me puse por montera.

Era verano y hacía calor. Yo tenía trece años, Aritz dos más que yo. Después de aquella semana nunca más volvimos a vernos.

No volví a sentir aquella sensación novedosa hasta que te besé por primera vez, Alejandro. Hasta que te encontré, en el sinuoso laberinto de las pasiones, había dejado en el camino todo tipo de besos. Algunos imborrables, grabados a fuego, y otros heladores como un glaciar. Recibí besos insolentes, desgarradores, desorientados, impacientes y de cortesía. Ósculos de puro trámite y otros a traición, puro veneno. Hubo muchos y variados. Hubo rápidos y lentos, húmedos y secos. Di muchos y recibí con placer aquellos intercambios, pero ninguno estuvo cargado de tanto sentimiento como los tuyos.

Nadie me ha besado con tanta emoción. El amor exponencial en una ecuación perfecta. Sin límites más allá del infinito.

Nadie me ha besado así porque nadie me ha querido de la forma en que tú me quieres. Por eso me miras como me miras y por eso yo siento esto que siento.

Las lágrimas recorriendo tu rostro aquel día que no sabías cómo pedirme perdón. Comerme a besos por una sonrisa a tiempo. Abrazarme por la espalda mientras preparaba la cena en la cocina. Llegar al clímax con mi cara entre tus manos y exhalar el *te-quiero* más sincero jamás confesado.

Alejandro, eres tanto para mí que nunca me has cabido en un papel, ni en una frase. Eres tanto que lo eres todo.

Y ahora que vengo a recordarte a qué olían tus besos, a qué sabía tu cuerpo, la temperatura de tu aliento, la presión exacta de tus dedos. Ahora me pregunto por qué no te querría yo antes. Por qué tardé tanto en curar las heridas. Y te doy las gracias por saber esperar, por entenderme y no preguntar.

Gracias, Alejandro, por ser y estar.

Contigo
Todo tan fácil
Todo tan bien
Contigo
Vértigo ingrávido
Pulso en la sien
Contigo
La ruina es palacio
Frío en la piel

45

La vida no avisa y cuando lo hace, o no le hacemos caso, o ya es demasiado tarde. Eso me pasó contigo, Alejandro. Llegaste sin anunciarte, de esa forma silenciosa en la que siempre nos habían contado que suceden estas cosas. Fuiste calando lentamente y eso provocó que finalmente de la tierra brotara un nuevo fruto. La vida, al fin.

Reconozco que no lo tuviste fácil porque aquel terreno yermo no buscaba más emociones que las pasadas. Las siegas anteriores habían dejado sin pasto ni abono aquella tierra que durante tanto tiempo había sido tan fértil.

Fuiste tú quien dejó reposar aquellos campos, quien permitió el barbecho, quien no tuvo ningún problema en empezar de cero. No tuviste prisa en recoger la maleza. No te dio miedo que rebrotaran ramas del pasado. Fuiste arando, removiendo hasta convertir el paisaje desértico en naturaleza viva.

Fuiste capaz de construirme recuerdos nuevos sin tener que quemar el pasado. No fue necesaria la hoguera, quizá porque sabías que aquello nunca desaparecería del todo. Mejor concentrarse en crear, debiste de pensar, en sembrar, en las nuevas estaciones, y así fue como llegó la temporada de la recogida. Para entonces yo ya no pensaba en si mis tierras seguían siendo lorquianas o no. El terreno había dejado de ser yermo y eso, sin yo saberlo todavía, me hacía feliz.

Hay muchas formas de ser feliz. La más importante, creo —hace tiempo que dejé de tener certezas absolutas—, es la que te permite disfrutar sin sufrir. Parece una conclusión naíf, casi de perogrullo, pero no lo es. Es lo más complicado de todo.

Recuerdo, también en estos momentos, otro consejo del viejo sabio Ismael: «Haz lo que quieras con tu vida, el futuro es tuyo, pero no te metas en líos». No le di importancia a aquella frase hasta que, años después, me introduje en el laberinto de los amores tortuosos. Hasta que uno no se ha visto sumido en el fango de las emociones no puede calibrar el daño que son capaces de hacernos. Y lo que es peor, lo que somos capaces de hacernos a nosotros mismos. Las autolesiones siempre han sido las cicatrices más profundas.

No le hice caso a Ismael, mi maestro en psicología aplicada, y me metí en aquel lío, del que finalmente salí. Y no digo que lo hiciera indemne. Uno siempre sale magullado si salta al cuadrilátero. Sucedió que nosotros nos convertimos en Maywather y Pacquiao. Y vivimos aquello como el combate del siglo. Pero ¿sabes una cosa, Alejandro? Aquel combate fue tongo, fuegos de artificio. Yo siempre preferí a Cassius aunque entonces todavía no lo supiera.

Y ahora, después de muchos combates, te confieso que nunca te voy a querer como a Mario. Menos mal. Mejor para ti, Alejandro. Y para mí. Para nosotros.

Se abrió el mundo a mis pies
y no supe dónde agarrarme
Te encontré en el camino
fuiste origen
y destino

46
MÍA
—

¿Quiénes son todas esas personas que están entrando en tu habitación, Male? ¿Por qué esa horrible máquina nos atormenta con un pitido aún más estridente y cada vez más continuo? ¿Has empeorado? ¿Qué te pasa? ¿Estás bien? ¡Male, dime algo!

Supongo que toda esa gente con bata blanca sabrá que tiene que tomarte el pulso y ver si respiras durante al menos un par de minutos. Y que te revisen las pupilas con una linterna para ver si respondes a los estímulos de la luz.

¡Avísales, Malenita! Recuérdaselo a los médicos que te están atendiendo. Diles que lo vimos en aquel reportaje de la BBC en el que aprendimos que, cuando el corazón deja de latir, la sangre se detiene, se espesa y comienza a coagularse. A este proceso en el que el cuerpo pierde temperatura y los músculos se endurecen los humanos más listos lo llamáis *rígor mortis*.

A mí lo que me quedó claro de aquel documental es que nos quedamos tiesos y helados. Y con muy mal color y peor olor. Pero tranquila, Male, que eso es por el azufre que se desprende en el proceso de descomposición que junto a otros gases hace que se hinche el cuerpo. ¡Y luego querrán que nos siente bien la muerte, jopé!

Pero lo dicho, Male, no hay de qué preocuparse porque tienes muy buen aspecto. Y no estás fría, ni hinchada, ni nada de nada. Un poco pálida sí, la verdad, pero es que la sala de la uci es poco favorecedora.

Por cierto, eso de que las uñas y el pelo continúan creciendo una vez que os morís es un cuento chino. Lo que ocurre es que el cuerpo se encoge porque la piel se deshidrata. Así que por eso tampoco tienes que preocuparte porque te las veo recortaditas y en su sitio.

Otra de las cosas que pasan cuando te mueres, Male, es que no te funciona el WhatsApp. De repente aparece tu última hora de conexión y ya —salvo que alguien meta su pezuña en tu móvil— nunca más apareces en línea. Y eso a ti no te puede pasar, no te va a pasar por ahora, ¿me oyes? Porque tienes todavía muchos mensajes por lanzar, te quedan muchas horas escribiendo…

Todavía respiras, así que no veo que haya que angustiarse por nada. No entiendo que esos doctores no dejen de entrar y salir de la sala. Mientras haya oxígeno, tus células están vivas y tus mitocondrias continúan liberando trifosfato de adenosina. Que lo sé yo, Malenita, que lo vi en la tele aquel día contigo. ¡Pero si huelo el trifosfato desde aquí! Eres pura adenosina. ¡Estás que te sales! Respira con normalidad, por favor, como te dijo aquella vez el piloto en el aterrizaje de emergencia que tantas veces reviviste después en sueños.

Estás bien, Male. Tienes que estar bien. Quiero que te salves. No sé por qué estoy llorando si soy una perrita.

47

Que te supieras de memoria mis costuras
Eso éramos

Me arrepiento de no haberte dicho que sí aquel día, Alejandro. Era tarde para levantarse y muy temprano para comer. Habíamos trasnochado. El día anterior habíamos quedado a tomar unas cañas. Todavía no convivíamos, así que aquello podía considerarse una cita en toda regla. Recuerdo que me diste una clase magistral de cata de cervezas. Puntuamos todo lo que se podía puntuar, incluida la compañía, aunque para nosotros ya entonces era inmejorable: si estaba bien tirada, la espuma, la temperatura, el sabor en boca. Todo.

Cuando terminamos la competición ya estábamos listos para el ataque. Dejamos el barrio y emprendimos rumbo a una sala de conciertos. Ese viernes, tocaba en mi local favorito un grupo que no conocíamos. Seguramente no sonaba bien, pero tampoco nos importaba. Pedimos varias copas y continuamos nuestro circuito improvisado de bailes, besos y confesiones. La vuelta en el taxi fue inolvidable. Aquel señor que no nos quitaba ojo por el espejo retrovisor mientras nosotros nos besábamos como si al despertar se fuera a acabar el mundo.

Ahora me alegro de haberlo vivido así. Ahora que quizá para mí todo haya terminado. Qué suerte habernos atrevido a tanto.

Al llegar a casa me descalcé y no me diste tiempo a darme la vuelta. Me agarraste por la espalda. Cubriste mis pechos con tus manos y buscaste con premura mis labios. Me giré y, al voltearme, mi lengua se encontró con la tuya. Comenzaron a dibujar un retrato picassiano. Círculos que iban y venían, besos urgentes, saliva que unía nuestras bocas abiertas a un deseo irrefrenable.

Me quitaste la camisa y del brusco movimiento se deslizó un tirante de mi sujetador burdeos. Lo volviste a colocar en su sitio, te detuviste un instante y noté cómo, mientras contemplabas la escena, tu erección se volvía incontrolable. Te desabroché el cinturón y dejé caer tu vaquero al suelo, igual que hice yo. Acaricié tu pelvis, besé lentamente tus ingles y saqué la lengua buscando tu miembro, que me esperaba rígido como una cariátide en la Acrópolis de Atenas.

—Me encanta cómo lo haces, Malena. Y me encanta verte.

Tus palabras humedecieron aún más mis *culotte*, que ya dejaban casi todo a la vista.

—¿Te gusta? ¿Quieres que lo haga? —susurré apartándote por un instante de mi boca.

—Sí, quiero ver cómo lo vuelves a hacer. Primero despacio y después más rápido.

Tus palabras me hicieron estremecer. Continué con un movimiento más rítmico y finalmente te tumbé y me puse encima. Comencé a frotarme contra tu cuerpo y nuestros labios volvieron a buscarse azarosamente.

Aquella coreografía parecía no tener fin. Tu boca comenzó su búsqueda donde yo más te necesitaba y pronto mis labios se abrieron para mostrarte el camino. Tus dedos recorrieron cada uno de los pliegues, que iban cediendo a la inflamación momentánea. Tu lengua se movía inquieta mientras mis muslos se hicieron fuertes rodeando tu cabeza.

Mi placer no terminó con aquella danza y pronto estuve de nuevo cabalgando sobre ti. Primero sujetándome con fuerza sobre tus hombros, después dejando que tus manos rodearan mis pechos y se movieran al mismo ritmo. Cuando llegó tu orgasmo, el mío se desató de nuevo, dejando nuestros cuerpos exhaustos al albur de los espasmos que nos recordaban lo que acabábamos de vivir.

Me arrepiento de no haberte dicho que sí aquel día, Alejandro. Era tarde para levantarse y muy temprano para comer. Habíamos trasnochado. El día anterior habíamos quedado a tomar unas cañas que rematamos con el polvo más inolvidable de nuestras vidas.

Al día siguiente me despertaste a base de caricias que recorrieron todo mi cuerpo. Cuando llegaste a la cara, me besaste mirándome a los ojos y, sin parpadear, me lo dijiste:

—Tengamos un hijo, Malena.

Me arrepiento de no haberte dicho que sí aquel día, Alejandro.

48*

Este baile de luces y sonidos hace rato que dejó de ser un juego. *Ya ha comenzado la cuenta atrás, Alejandro. Se acabará. No es que no me importe, es que simplemente sé que lo hará.* Podría mirar hacia otro lado, esconder la cabeza bajo tu ala y la mía, pero de nada serviría. Me alejaré de igual forma. Me iré.

Y giro la cabeza para recordar cada uno de aquellos días que fueron *tan rápidos, tan fáciles, tan intrépidos, que se marcharán.* Te miro y veo los recuerdos de días que ya no nos quedan. Abrimos la puerta a todos los incendios que llamaron y fuimos testigos del fuego. *Y qué manera de perder las formas, Alejandro. Y qué forma de perder las maneras. Mi mundo se acaba. Disfrutemos de esta última cena.*

No me arrepiento de nada. Me quedo con todo. Con lo tuyo y lo mío, que fue tan nuestro. *Qué a tiempo te pusiste en medio, Alejandro.* Juntos gritamos al mundo que *sólo quedaría sin probar un sentido, el del ridículo por sentirnos libres y vivos.* Y así lo hicimos mientras pudimos. *Y qué genial, qué astuto, qué indecente, qué maravillosamente oportuno.*

¿Recuerdas? *Aquel soplo de viento unió atrevido tu olor con el mío.* Y, ahora que llego al fin, al fin me atrevo. Diré lo que tantas veces pensé y no fui capaz de decirte cuando notaba tu aliento tan cerca que rozaba mi piel. *Empiezo a quererte,* Alejandro. Eso te digo. *Empiezo a pensar que no hay un día que no quiera verte y demostrar todo el amor que te mereces.* Ahora que empiezo a sentirlo, lo nuestro se acaba.

Pero sé que no he llegado aquí por casualidad. *Te confieso que he robado, he mentido y he matado también el tiempo. Y he buscado en lo prohibido por tener buenos alimentos.* Lo hice buscando no sé muy bien a quién, pero a ti te encontré. *Y si me marcho, y si te vas, me quedo en esta calle sin salida.*

Mi bar está cansado ya de despedidas. Y yo sigo perdida. Sin rumbo, ni faro que nos alumbre, ni brújula que me oriente. *Se rompió la cadena que ataba el reloj a tus horas,* Alejandro. Se *paró el aguacero y ahora somos flotando dos gotas.*

Y ahora que me olvido de poner en el suelo los pies, me siento mejor. Y ahora que vuelo, en estas alturas, ya sólo pido *que el equipaje no lastre mis alas.*

Que ser valiente no salga tan caro. Que ser cobarde no valga la pena.

Y cuando no te den la razón los espejos, Alejandro, cuando te hagas viejo, te pido que sigas acordándote de mí. Que aunque no hubo boda, ni novios, ni banquete, no podré pasar sin que me pienses. Y pido, y te ruego, *que nuestro corazón no se pase de moda, que no se ponga esta luna de miel.*

Tengo la esperanza de que con el paso del tiempo sigas siendo el mismo. Y que cuando anochezca me eches de menos. Dormida o despierta en alguna estrella, seguiré tendida en nuestra *pensión que es un palacio donde nunca faltó espacio para más de un corazón.*

Alejandro, *ahora que, sin saber, hemos sabido querernos como es debido sin querernos todavía. Ahora que nada es urgente, que todo es presente.* Ahora que me despido pero me quedo. Ahora, Alejandro, me voy.

> De vez en cuando te pienso
> De vez en donde te encuentro
> De vez en nunca te olvido
> De vez en siempre te quiero

---

* Este capítulo incluye fragmentos en letra cursiva de canciones que están citadas en la página 253.

49

Nadie en este mundo de mortales al que todavía creo que pertenezco tiene más ganas de seguir viviendo que yo.

Ahora que me he despedido de todos y que he zanjado tantas conversaciones que antes dejé a medias o que simplemente nunca había comenzado, ahora me gustaría seguir sumándole minutos a la vida, restándole a la muerte un trozo de mi eternidad.

Ahora quisiera volver atrás para pasear con mis padres cogida de la mano sin protestar, les besaría en público sin que me diera vergüenza. Me habría lanzado a andar en bici sin ruedines mucho tiempo antes, hubiera saltado aquella vez desde el trampolín sin manguitos, le habría dicho a Eva que estaba preciosa el día de fin de curso, cuando estrenó la falda que le había confeccionado su madre.

Me habría aplicado más para el examen de selectividad y menos el día del cumpleaños de mi compañero de instituto, Álvaro, cuando me quedé en casa estudiando y no salí con él. Ese día, me hubiese atrevido a confesarle que estuve enamorada platónicamente de él varios años.

Aquel día que paseaba sola por la playa me habría descalzado para notar la arena húmeda en mis pies. Hubiera salido a pisar charcos los días de lluvia. Repetiría mi helado favorito. Saldría a hacer deporte al aire libre, compraría castañas asadas en otoño y encendería mil cerillas sólo por olerlas al apagarse.

Las ganas vencerían a la pereza para ir al cine, escucharía música en vivo y disfrutaría mi soledad al máximo sin moverme del sofá. Comería más sano para poder excederme más veces. Viviría al límite aunque no hiciera nada.

Besaría el doble de lo que lo he hecho y me enfadaría la mitad. Habría olvidado a Mario mucho antes y no habría esperado tanto a decirte a ti la verdad.

Si tuviera una segunda oportunidad, abriría la botella de vino más caro que compré para aquella fecha señalada y me la bebería cualquier día contigo, Alejandro, sin ningún motivo aparente. Te haría el amor sin reparos. Te comería, también a besos. Te querría sin vueltas ni reverso.

Me dejaría llevar, perdería la razón, abrazaría sin miedo, perdonaría a los muertos, sonreiría a los que no son tan buenos. Leería en positivo, me quedaría con lo puesto, si pudiera volver y quedarme. Recordaría el pasado para que se desdibujaran las penas, dibujaría el futuro para que mereciera la pena.

Les diría a mis seres queridos que les quiero y a ti, Alejandro, que te amo.

Todo eso haría si pudiera, si esa luz cenital, que tintinea y lanza destellos cegadores, no me impidiera abrir los ojos. A lo lejos ya no oigo sirenas, sino una máquina respirar. Y un pitido constante que me impide ubicarme o pensar. Las voces retumban a mi lado, hablan de cantidades, de miligramos y de compuestos que nunca antes había escuchado. «La tenemos —dicen—. A quirófano.»

Desconozco si hubo, si hay, si habrá tiempo para segundas oportunidades. Me llamo Malena y es posible que muera hoy.

Listado de canciones y autores
que se mencionan en los capítulos 34 y 48

CAPÍTULO 34

EME, Leiva
«Eme, cuando se ponga el sol voy a despedirme. Será como un collage lo que tuvimos.» [...] borrarme la señal de tus colmillos. [...] me dejaste el cuerpo fuera y la cabeza entera, guardada seca entre tus trofeos y mis medias.
© 2012 by Jose Miguel Conejo Torres. Universal Music Publishing S. L. / El Viejo Blues S. L.

VIS A VIS, Pereza
[...] la sombra que hacían las rejas mientras metías las orejas en el centro de mi andar. [...] a tener cita donde le roban tiempo al amor. [...] le puse sangre al grito de los que aman sin poder amar.
© 2012 by Jose Miguel Conejo Torres / Enrique Suárez Caycedo. Universal Music Publishing S. L. / El Viejo Blues S. L.
© 2012 by Enrique Suárez Caicedo

PALOMAS, Pereza
Hubo días para pedírtelo, semanas para dudar, veranos en vilo hasta el final.
© 2014 by Jose Miguel Conejo Torres / Enrique González Morales. Universal Music Publishing S. L. / El Viejo Blues S. L.
© 2014 by Enrique González Morales

HERMOSA TAQUICARDIA, Leiva
Porque siempre supe que seríamos carne de cañón de madrugada mientras me siguieras clavando el arpón con la mirada.
© 2014 by Jose Miguel Conejo Torres . Universal Music Publishing S. L. / El Viejo Blues S. L.

FRANCESITA, Leiva
«Voy a apartarme —grité—, lo he decidido.» Y sabía que pagaría después por quererlo hacer con las manos que abrieron camino.
© 2014 by Jose Miguel Conejo Torres . Universal Music Publishing S. L. / El Viejo Blues S. L.

PÓLVORA, Leiva
Y ahora sé, Mario, que la guerra durará más que tú. Peligrosa doble vida.
© 2014 by Jose Miguel Conejo Torres . Universal Music Publishing S. L. / El Viejo Blues S. L.

VÉRTIGO, Leiva
Pero ya nunca volví a ser la de antes. Nada volvió a ser igual. Porque la vida se parte y yo no me quise agarrar.
© 2014 by Jose Miguel Conejo Torres. Universal Music Publishing S. L. / El Viejo Blues S. L.

VIENTO DE CARA, Supersubmarina
Y *acostada a la sombra de un árbol sin ramas, las dudas y el miedo sirvieron de almohada.* […]
Dormirme era imposible.
© 2015 by Jose Marín Torres / Juan C. Gómez Parrilla / Antonio J. Cabrera Gutiérrez /
Jaime Gandia Quesada. Universal Music Publishing S. L.

CUALQUIER OTRA PARTE, Dorian
[…] *ver que ya no piensas en mí, que ya no crees en la gente.* […] *estaba tan lejos de ti que ya no recuerdo el momento en que te dije por última vez que el cielo se estaba abriendo. Y sí, se abrió bajo tus
pies.* […] *que volvieras conmigo. A cualquier otra parte.*
© del grupo **Dorian**. Autor de la letra: Marc Gili.

ALGO QUE SIRVA COMO LUZ, Supersubmarina
[…] *no me faltes. Ya no sabía muy bien qué darte. Sólo tenía hueso y carne. A falta de recuperar el
alma, que por entonces estaba en el aire.*
© 2015 by Jose Marín Torres / Juan C. Gómez Parrilla / Antonio J. Cabrera Gutiérrez /
Jaime Gandia Quesada. Universal Music Publishing S. L.

LOCURA TRANSITORIA, Extremoduro
Y *bajé de nuevo a la tierra y traté de cruzar la línea divisoria que separa en esta historia la locura y la
razón.*
© Extremoduro. Homsac, S. L.

LA VEREDA DE LA PUERTA DE ATRÁS, Extremoduro
[…] *condenada a mirarte desde fuera y dejar que te tocara el sol. Y mi vida pasó a ser una escalera y
me la pasé entera buscando el siguiente escalón.* […] *dejar de lado la vereda de la puerta de atrás por
donde te vi marchar.*
© Extremoduro. Homsac, S. L.

PUNTOS SUSPENSIVOS, Joaquín Sabina
[…] *lo peor de aquel amor fueron las habitaciones ventiladas. La adrenalina en camas separadas. El
sístole sin diástole ni dueño.*
[…] *Cuando al punto final de los finales no le siguieron dos puntos suspensivos.*
Letra: J. R. Martínez Sabina
© Copyright by El Pan de Mis Niñas, S. L.
Todos los derechos administrados por Warner / Chappell Music Spain, S. A.

CERRADO POR DERRIBO, Joaquín Sabina
*No hubo bálsamo que curara mis cicatrices, ni rosario que no contara cuentas infelices. Y callabas
tanto que nunca me decías la verdad. Y todo era un almacén de sábanas que no ardían.*
Letra: J. R. Martínez Sabina
Música: Alejandro Stivelberg
© Copyright by El Pan de Mis Niñas, S. L.
Todos los derechos administrados por Warner / Chappell Music Spain, S. A.
© Alejandro Stivelberg. BMG ASC SPAIN

Y SIN EMBARGO TE QUIERO, Trío Quintero, León y Quiroga
Me lo dijeron mil veces y yo nunca quise poner atención.
© Antonio Quintero, Rafael de León, Manuel Quiroga

Y SIN EMBARGO, Joaquín Sabina
Sabes mejor que yo que hasta los huesos sólo calan los besos que no has dado.
Letra: J. R. Martínez Sabina
Música: A. Pérez García de Diego / F. J. López Barona
© Copyright by El Pan de Mis Niñas, S. L.
Todos los derechos administrados por Warner / Chappell Music Spain, S. A.

A MIS CUARENTA Y DIEZ, Joaquín Sabina
Un testamento a base de *derechos de amor, un siete en el corazón y un mar de dudas.*
Letra: J. R. Martínez Sabina / A. M. Vicente Oliver
Música: J. R. Martínez Sabina
© Copyright by El Pan de Mis Niñas, S. L.
Todos los derechos administrados por Warner / Chappell Music Spain, S. A.

CONTIGO, Joaquín Sabina
No quisiste *besar mi cicatriz.* No quisiste *morirme contigo* ni sin mí.
Letra: J. R. Martínez Sabina
Música: J. R. Martínez Sabina / A. Pérez García de Diego / F. J. López Barona
© Copyright by El Pan de Mis Niñas, S. L.
Todos los derechos administrados por Warner / Chappell Music Spain, S. A.

LUCÍA, Joan Manuel Serrat
[…] *la más bella historia de amor que tuviste y tendrás. Una carta de amor* […] *Si alguna vez amaste, si algún día después de amar, amaste, fue por mi amor.* […] *nunca habrá nada más bello que lo que nunca hemos tenido, nada más amado que lo que perdimos.*
© 1971 by Joan Manuel Serrat Teresa. Universal Music Publishing S. L.

CUARTO MOVIMIENTO: LA REALIDAD, Extremoduro
[…] *busco en la memoria el rincón donde perdí la razón. Y la encuentro donde se me perdió cuando dijiste que no.* […] *Y sin ser, me volví dura como una roca, si no podía acercarme ni oír los versos que me dictaba esa boca.* […] *Buscando mi destino, viviendo en diferido, sin ser, ni oír, ni dar. Y a cobro revertido quisiera hablar contigo, y así sintonizar.*
© Extremoduro. Homsac, S. L.

CAPÍTULO 48

DESPEDIDA, Izal
Ya ha comenzado la cuenta atrás, Alejandro. Se acabará. No es que no me importe, es que simplemente sé que lo hará. […] *tan rápidos, tan fáciles, tan intrépidos, que se marcharán.*

© MIKEL IZAL LUZURIAGA. Hook Ediciones Musicales / BMG ACS SPAIN

QUÉ BIEN, Izal
Y qué manera de perder las formas, Alejandro. Y qué forma de perder las maneras. Mi mundo se acaba. Disfrutemos de esta última cena. […] *te pusiste en medio,* […] *sólo quedaría sin probar un sentido, el del ridículo por sentirnos libres y vivos.* […] *Y qué genial, qué astuto, qué indecente, qué maravillosamente oportuno.* […] *Aquel soplo de viento unió atrevido tu olor con el mío.*